ま、いっか。

浅田次郎

集英社文庫

この作品は二〇〇九年二月、集英社より刊行されました。

ま、いっか。

目次

第一章

男の本音

第二章

ふるさとと旅

第三章 ことばについて

第四章

星と口笛

ま、いっか。

第一章
男の本音

「ま、いっか。」

男は容姿ではない、などと口で言うのは簡単だが、いささか無責任な言であろうと私は思う。それがすべてではないにしろ、容姿が恋愛の一要件であることにちがいはないからである。

ただし普遍的客観的にすぐれた容姿の男ばかりを要求し続けると、痛い目に遭うかアブレるかのどちらかであるから、「ま、いっか」という許容範囲内で手を打つのが、恋愛のコツと言えよう。

恋愛感情の相当部分は思いこみである。もしかしたら大部分かもしれない。したがって信心深いタイプの女性ならば、相手のアバタをエクボだと思いこむこともできるが、飽きっぽい性格の女性は、本物のエクボもやがてアバタに見えてくる。恋のゆくえは大方こうして決まるのであるから、「ゼッタイこの人」も「ま、いっか」も、結果的にはさほど変わりがない。

要するに、男の容姿は恋愛の一要件にはちがいないけれど、客観ではなく主観的に納得できればよい、ということになる。

さて、ここまではわかった。たとえ世界中がサイテーと罵《ののし》っても、自分の美学だけがイケメンと信じてさえいれば、恋愛は幸福である。だがしかし、この恋愛論には若い人には思いもつかぬ陥《おと》し穴がある。

恋愛の結果としての結婚、もしくはそれと同然の長期にわたる交際において、男の容姿は哀れな変貌をとげる。若い時分のたかだかのみてくれなど、たいてい四十もなかばを過ぎれば形骸すらとどめぬのだから怖《おそ》ろしい。年齢とともにてんで傍目《はため》を気にしなくなる分だけ、男の変容は女の比ではない。

ちなみに、モデルケースとしての私の場合はこうであった。

二十代の次郎は身長百六十九センチ、体重五十キロ、ウエスト七十センチ、Yシャツの首回り三十六センチという所見であり、髪は豊かなリーゼントでペットリと撫《な》で上げ、どことなくジェームス・ディーンに似ていた。

しかしその十年後、身長こそ同じだが体重は七十キロに迫り、ウエストは八十センチ、Yシャツの首回りは四十センチにと、それぞれ変化したのである。しかも頭髪は鮮やかに抜け落ち、壮年性の近視となった。早い話が、全然別人である。

旧友たちのありさまを見渡したところ、べつだん私が特別というわけではなく、むしろその変容ぶりはマシであろうと思える。少くとも四十歳より今日までは摂生に努めているので、それぞれの数値は維持している。

では、太りさえしなければいいのかというと、女の場合はともかくとして男はそうとも言えない。年齢とともに肥えぬ男は、明らかに老ける。女とちがってもともと皮下脂肪を蓄えぬせいであろうか、痩《や》せている男ほど皮膚がたるみ、皺《しわ》だらけで貧相になる。なお怖いことには、この「貧相」は文字通り経済的事情もしくは健康上の理由を伴うことが多い。伴侶にしてみればただごとではあるまい。

私は幼なじみや学生時代の友人たちとすこぶる仲が良いので、こうした観察レポートには誤りがないと思う。ということはつまり、世の女たちがこだわる男の容姿というものは、一過性の恋愛としてのみ意義はあるが、伴侶としては幻想と言えるのである。そうした意味では、「結婚相手は容姿ではない」と言いかえれば、その説は正しい。

ところで、さらに読者を混乱させるレポートを提出する。

私見によれば、若いころにイケメンとされていた男ほど、中年に至ってからの凋落《ちょうらく》ぶりが甚《はなは》だしく、さして目立たなかったやつが妙にカッコいいオヤジになっているように思えるのである。どうやら「ハデなやつはつぶれ、ジミなやつが最後に笑う」という男性社会の大原則は、容姿にも援用されるらしい。

今や女の人生は男によって左右されるほど脆《もろ》くはなかろうが、一生の伴侶とするには早熟型のイケメンよりも、晩成型のジミ男のほうが得に決まっている。しかも中年からの男の容姿は収入や地位に比例する場合が多いから、結婚相手としてはあえて「ゼッタイこの人」を捨て、「ま、いっか」を取るという手も大いにありうる。

その先は努めて信心深く、アバタもエクボだと思いこめばよい。思うだけではなく、口に出して褒めちぎればなおよい。女はほめられて喜ぶだけだが、男はほめられればその気になるので、やがてアバタはエクボに変わる。

年齢とともになぜかカッコ良くなり、容姿に応じて晩成した男たちには、みなリングサイドのトレーナーのごとき伴侶がついているように思える。

さあ、身近の「ま、いっか」について、もういちど考え直してみようか。

（『ＭＡＱＵＩＡ』二〇〇五年十一月号）

黄昏《たそがれ》の恋

近ごろ、たいそう面白い説を耳にした。

詳しい出典は知らない。ただの笑い話かもしれないが、あんまり面白いので紹介しておく。仮称「人生三回結婚説」とする。略して「三婚説」とでもしておこう。

まず、二十歳になったら全員が二十歳齢上《としうえ》の異性と結婚する。はたちの娘と四十のオヤジ、はたちの青年と四十のマダムの結婚である。

そのまま二十年間、結婚生活を送り、四十歳と六十歳で離婚する。そして間髪を容れず、四十歳の男女は二十歳の男女とそれぞれ二度目の結婚をする。

六十歳で二度目の離婚をしたあとは、同じ境遇の六十歳の異性と三回目の結婚をする。

概要は以上である。細部については友人やパートナーと論議していただきたい。みんなで考えれば考えるほど、この説は興味深い。個人の恋愛観や人生観はそれぞれちがうから、議論百出すること疑いなしで、午後のティータイムや酒の肴《さかな》にはもってこいである。ただし大前提として、これは仮説ではなく未来の法律によって強制された現実、として考えていただきたい。わがことと思えば、話は否応《いやおう》なく盛り上がる。

参考までに、もし私がその世界に生まれ合わせたならば、という私観を述べておこう。

若いころの恋愛は、同世代しか対象にはなるまい。したがって法律上けっして結ばれぬ恋である。悲劇的ではあるけれども、そもそも結ばれぬ恋というものは古来王道かつ正統といえる。すべての若者たちがこの恋の王道を踏み、けっして傷にならぬ別離を体験する。どうしても別れたくない場合には、心中という成就の方法だけが許される。つまりこの「三婚法」は、まずその初期段階でロミオとジュリエットのごとき古典的恋愛を、すべての人々に供与することになる。

二十も齢上の相手と結婚するのは、誰でも嫌だろう。だがそれもたぶん初めのうちだけで、やがて恋の技巧に長《た》けたパートナーの虜《とりこ》になる。何しろ相手は、過去二十年にわたって恋の手練手管を教えこまれたベテランなのである。この結婚は存外幸福な二十年を約束する。

そして四十歳になると、新たなはたちのパートナーが与えられる。年齢差の分だけ、きっと懸命に愛される努力をする。マナーにも身なりにも、ちょっとした動作にも気を遣い、少くとも十歳は若く見えるように日々精進《しょうじん》する。四十歳から六十歳までの人間が全員「愛される努力」をすれば、社会はすばらしく活性化する。

で、六十になるともういちど悲劇的な別れがあるのだが、どういう形であれ、このシーンは考えただけで美しい。自分がかく愛し、かく育てた四十歳の恋人との別れ。最後のくちづけをかわし、「振り返ってはいけない」とか言って恋人の背を押すのである。

「難しいことじゃないよ。僕が君を愛したように、君も彼を愛せばいい」

これはいかにもマニュアル通りのセリフだが、たぶん何を言おうがこのときの別れの文句は美しい。

さて、三度目の結婚だが、できることならこれは、はたちのときに愛を成就できなかった恋人と、四十年ぶりにめぐりあうのが望ましい。しかるのち、六十歳からの「黄昏の恋」である。

おたがい、二度の結婚を経験した。泣く泣く別れたあと、二十も齢上の人に歓《よろこ》びを教えられ、そして二十も齢下の人に、歓びを分かち与えた。その同じ人生を歩んだ二人が、はたちのあのころに戻って偕《とも》に老いるのである。理想の老後という気がする。

この「制度」の難問は、どのタイミングで子をもうけ、どうやって育てるかということだが、それはいわゆる空想的社会主義に属する問題で、またしても興味はつきない。

そこでふと思うのだが、この「三婚説」は酒場の冗談やティータイムの無聊《ぶりよう》から醸《かも》し出されたのではなく、現実破綻《はたん》した共産主義を、非マルクス的社会主義の立場からしごくまじめに考えた末の一仮説なのではあるまいか。言い出しっぺは学者なのではないかと、私は見ている。

ちなみに、中国清末《しん》の康有為《こうゆうい》という学者が、『大同書』の中でこれに類する説を述べている。孔子の理想社会がこの「三婚説」で実現できるかどうかと考え直してみると、いよいよ興味深い。

あんまり面白いので、いつかこのテーマを用いて近未来恋愛小説を書いてやろうと目論《もくろ》んでいる。こんなことを言うと、たぶん編集者は早く書けとせっついてくるだろうけれど、そうはいかない。

六十になって「黄昏の恋」を経験しなければ、いかんせん取材不足であろう。

（『ＭＡＱＵＩＡ』二〇〇五年十二月号）

「デブ」とは何か

過日、編集者たちと鮨《すし》をつまみながら、お定《き》まりのダイエット談議となった。

和食の席では、必ずこの種の話が始まる。今や一億国民のマニフェストともいえるダイエットは、つまるところ「食うな！」という合言葉である。しかし誰でも飯は腹一杯食いたいので、「和食はヘルシー」という神話を築き上げ、その代表格たる鮨をつまみながら、われわれはけっしてマニフェストに反してはいないのだと語り合うわけである。

誤解なきよう言っておくと、日本原理主義者をみずからもって任ずる和食派の私は、デブである。なぜかといえば答えは簡単で、和食は脂肪分が世界一少いかわり糖分は世界一多いので、実はダイエットに有効なわけではない。

もっとも、国政選挙の結果だっておおかたはマニフェストの内容ではなくイメージで決まるのであるから、こうした和食神話も無理からぬ話ではある。

さて、そうは言ってもダイエット談議などというものは、酒の肴にしてもとうに語りつくされている。そこでこの夜はいかにも作家と編集者にふさわしい議題が持ち出された。

「デブ」という言葉の語源である。マニフェストでいうなら、「増税」とか「年金」に匹敵するくらいの至上問題たるこの言葉は、いったい何に由来するのであろう。

私の主張したところは、"development"の略である。発達、発育、成長、といった意味のこの英語が、明治以降のどこかで「デブ」と簡略化され流布したのではあるまいか。

ある編集者は反論した。江戸時代の書物には、「でっぷりとした」という表現や「でぶでぶ」などという擬態語がすでに存在すると主張して譲らない。

私もふと考えてみたのだが、言われてみれば、「芹沢鴨《せりざわかも》はでっぷりと肥えた色白の偉丈夫で」というような内容の文献を、たしかに記憶している。

すると別の編集者が、さらなる興味深い説を唱えた。

「デブ」は俗に「デブちん」などとも呼ばれる。だが「ハゲちん」「チビちん」等、その他の「ちん」はないから、「デブ」は「デブちん」が語源なのではないか。つまりこれは英語の"double chin"すなわち「二重アゴ」に由来する、というわけである。

ウーム、と一同は唸《うな》った。何だかものすごく説得力がある。しかし感心する間もなく私は反論した。ネイティヴ発音の「ダボチン」が「デブちん」、略して「デブ」になったというのなら、「二人分」という意味の「ダボ」が「デブ」に聞こえたとするほうが自然ではないか。いくら何でも考えすぎだと私は言った。

さらに、すばらしい仮説が登場した。やはりこれは外来語ではなく、「出不精」の略ではないかというのである。この説に拠《よ》れば、江戸時代に「でっぷり」「でぶでぶ」の擬態語がすでに存在したという事実とも矛盾しない。「出不精」略して「デブ」。言葉を略して短くするのは江戸弁の伝統でもある。仕事もせずに飽食終日、すっかり肥えた若い衆《し》を称して、「あの野郎はデブで仕様がねえ」などと噂《うわさ》する江戸ッ子の声が聞こえてくる。

昔の給料の単位である「一人扶持《いちにんぶち》」は、玄米一日五合の計算だった。つまり副食物の少なかった昔の人は、一日に五合も米を食べていたのである。必要なカロリーを毎日五合の米から摂取して、仕事もせずにごろごろしていたのではまちがいなく太る。それも炭水化物型特有の、力士のごとき「でぶでぶ」になるにちがいない。

だいたい以上が、この夜に提示された仮説であった。

“development”“double chin”“double”等の英語語源説。

「でっぷり」「でぶでぶ」の擬態語語源説。「出不精」の日本語簡略化説。

しかし鮨屋は国会ではないから、結論を出す必要はない。酒の肴である。まことに不毛な議論ではあったけれど、仕事の話や家庭の愚痴や、政治論やダイエット談議をくり返すよりも、ずっと知的で楽しい会話であった。

それにしても、日本人は肥えた。小学生時代のモノクロ写真を見ると、どの子供も痛ましいくらい痩せている。すでに食べ物には不自由する時代ではなかったのだが、やはり摂取するカロリーは少かったのであろう。

昭和三十年代の子供らは、むしろ体重をステータスと考えていた。だから月に一度の身体測定の日などは、朝食を無理に詰めこみ、トイレにも行かずに登校した記憶がある。一億国民がこぞってダイエットに走る未来など、予想だにしていなかった。むろん私自身も、自分がかようなデブになるとは思ってもいなかったのである。

その夜、私たちはたらふく鮨を食って散会した。帰りの車中で「デブ」の語源に悩みながら、ふと気付いて独り笑いをした。

議論をかわしたメンバーは、全員「デブ」であった。

(『MAQUIA』二〇〇六年一月号)

美人薄命

いきなり堅いことを言うが、まあ聞いてくれ。

『孝経』の冒頭に孔子は言う。

「身体髪膚《しんたいはっぷ》、之《これ》を父母に受く。敢《あ》えて毀傷《きしょう》せざるは孝の始めなり」

父母からいただいた体は大切にせよ、傷つけないことは親孝行の基本である、というほどの意味である。

孔子の生きた春秋戦国の時代に較べれば現代はすこぶる平和で、公共の安全基準も発達しているから、ふつうに生活をしていればまず怪我《けが》をすることがない。しかるに肉体の痛みや損傷の恐怖を忘れた人間は、病気でもないのにみずからの肌にメスを入れ、美しくなるための手術を施す。孔子の訓《おし》えにそむくことこれにまさるものはないと、私はつねづね考えている。

「敢えて」という副詞には「少しも」という意味のほかに、「わざわざ」というニュアンスも含まれている。だとするとこの訓えは、「ケガをするな」というより「整形手術をするな」というふうにも読める。

ところで、儒教のお国である韓国は整形美容術の先進国である。おそらく彼らは、「毀傷」の解釈が私とは異なるのであろう。つまり、美しくない顔はすでに毀傷されているも同じだから、あえて手術を施してきれいになることこそが孝である、というような論理ではあるまいか。

むろんその説に異論を唱えるつもりはない。しかし今日的な美の基準によって、韓流俳優全員が怖いくらい同じ笑顔になり、女優に至っては誰が誰だか見分けがつかないのは困りものである。

そもそも美というものは、視覚等の感覚を通じて心が判定するのであるから、その捉《とら》え方は人それぞれである。一方、医学的基準に則して完成をめざそうとすれば、個性は没却され、似たような顔になるのは当然であろう。孔子の訓えはさておくとしても、私は個性を犠牲にして獲得する普遍的美形が、魅力的なものであるとはどうしても思えない。たとえその喪《うしな》われた個性が、普遍的な「醜」であっても、である。

私は、私自身の顔がけっして嫌いではない。髪は鮮やかに禿《は》げ、ちかごろ地球の重力に抗《あらが》えず下ぶくれとなり、歯は黄色く唇は厚く、稀《まれ》なる巨顔であってもなお、わが顔がいとしくてならぬ。

重ねて言うが、今から三十年ぐらい前はあんがい美形だった。いかに信じ難い話であろうと、髪は豊かなリーゼントであり、そのぶん顔は小さかった。つまり、上がった額の面積は、むごいことに顔の領域となるのである。もしそのころ作家デビューを果たしていたなら、さぞかし世にもてはやされたことであろう。

だがしかし、私はそのころ自分の顔が嫌でたまらなかった。鏡に向かうたびにうんざりとし、他人の容貌を羨《うらや》んでばかりいた。普遍的な基準に適《かな》っていたころの顔が嫌いでならず、その基準にそぐわなくなってきた顔を次第に愛し始めたというのは、いったいどうしたことであろうか。

おそらく二十歳の私は、視覚の伝達した美を心が拒否していたのである。あるいは鏡の中の客体としてのおのれを、鏡から離れた主体が信用しなかったのである。鏡のあるなしにかかわらず自分を信用するようになってから、私は自分の顔が好きになった。

さて、以上の論理に、多少のハゲ惜しみがあることは認める。しかし大方は偽らざる真理である。少くとも私は全然ナルシストではなく、むしろ自己懐疑的であると周囲からもしばしば忠告される。

外観によって人生が変わるということはまずない。もしあるとすれば、居ずまい佇《たたず》まいの良さとか、清潔感とか、言葉づかいとか、つまり人格を判断させる挙措によってであって、顔に限っていうなら美醜ではなく表情であろう。もし仮に、顔かたちで人生が変わったとしても、好ましい結果を招かぬのは明らかである。

いわゆる美人には誰しも目を奪われるが、誰しも心ひかれるわけではない。恋し、愛し、尊ぶ人格の主体はけっして顔かたちに存するのではなく、もしそれを顔かたちのみに求めれば、人間は必ず不幸になる。「美人薄命」の原理はまさしくこれである。

私はさきの『孝経』の言を、今日的にかよう解釈するのであるがいかがであろうか。

この『孝経』の言と対《つい》をなす『論語』のことばを紹介しておこう。

「父母は唯《た》だ其《そ》の疾《やまい》を之れ憂《うれ》う」

孝について問うた孟武伯《もうぶはく》に対して、孔子はそう言った。

親はひたすら子供の健康ばかりを案じている。体を大切にすることが一番の孝養なのだよ、という意味である。

言われるまでもない説教に聞こえるが、親の目から見れば、心をなおざりにしてみてくればかりにこだわる子供は、もはや憂うべき病人なのである。

（『MAQUIA』二〇〇五年五月号）

男の背広

男の人は持ち物が少くていいですね、と何度か言われたことがある。

思い起こしてみればなるほど、恋愛経験に乏しい純な女性であったような気がする。あるいは男の背広の脱ぎ着をさせたことのない人であったのかもしれないが。

そうした読者のために、解説を加えておこう。手ぶらで歩いているように見えて、男の持ち物はあんがい多いのである。

私はただいま、ある文学賞の選考会から戻って着替えをおえたところだが、背広から出した携行品が机上に置いてあるので話は早い。

男の正装には十一のポケットがあることをご存じであろうか。知らぬ女性にはまずこれが驚きであろう。

上衣《うわぎ》の胸の外ポケットには、恥ずかしながら櫛《くし》が入っている。私の容貌からするとすでに必要はないのだが、これを持たぬと自らハゲを認めたことになるので、お守りのごとく必ず持つことにしている。

次に最も大容量の内ポケットだが、左に財布、右に手帳を入れている。裾《すそ》のアウトポケットは、重い物を入れると背広の形が崩れてしまうので、ティッシュペーパーとハンカチを左右に入れる。

背広の左裏裾には小さなポケットがついている。ここはタバコとライターである。

ズボンの右ポケットは小銭入れと車のキー、左のポケットは携帯電話と自宅の鍵の定位置である。携帯電話はこの場所でないと、マナーモードの震動がなぜか伝わりづらい。

さらに、ズボンの尻には右に文庫本、左に運転免許証が入っている。そしてワイシャツの胸ポケットには、名刺である。

つごう上衣に六カ所、ズボンに四カ所、ワイシャツに一カ所の十一のポケットで、たぶん女性読者の多くは、へえーと意外な発見に驚かれたことであろう。

ポケットの数はともかく、内容物の多さはなまなかではない。むしろ自由業の私は、これでも少めなはずである。したがって、男性用スーツには薄くて柔らかな化繊はまったく通用せず、季節にかかわらず頑丈なウール地でなければ役に立たぬ。そういう気の毒な宿命を負った世のオヤジどもを、やれ暑苦しいの、ウザったいのと非難してはならない。誰も好きで暑苦しいなりをしているわけではないのである。

ではなぜ、男は女と同様にハンドバッグを持たぬのであろうか。これはまことに素朴な疑問といえよう。

古来日本では、とっさの変事に対して常時即応の姿でいることが武士の嗜《たしな》みとされた。たぶん欧米でも、この常識は同じであろうかと思う。手に荷物を持っていたのでは敵に抗しきれず、女子供を護《まも》ることができぬという論理である。まさかとは思われるであろうが、その証拠として軍人や警察官が雨の日に傘をさしてはならぬのは、世界共通の掟《おきて》とされている。言われてみれば、どなたも町なかで傘をさしている巡査や自衛官を見かけたためしはないであろう。例外としては古い映画の中などで、恋人に傘をさしかける軍人のシーンを見たように思うが、たとえ演出であろうと本物の軍人が見れば噴飯ものである。

まあつまり、現代の男にそうした心掛けがあるかどうかはともかく、余分な荷物を手に持つことは見苦しいと、世の男たちは本能的に考えている。かくて、十一のポケットにぎっしりと日用品を詰めこんで、男たちは一日を過ごすことになる。

実際、男のハンドバッグは怪しい。瞭然たるビジネスバッグならいいのだが、女性のハンドバッグ大のセカンドバッグを持ち歩く男は、どう見ても怪しい。これ見よがしのクロコダイルやオストリッチであると、まして怪しい。

しかし、近ごろでは風体《ふうてい》に怪しさを感じぬ若者が、やたらと荷物を持って歩く姿が目につく。背広姿にリュックサックという者もしばしば見られるが、これは論外である。

問題は常にブランド物のセカンドバッグを持っている若者で、私はどうにもその中味が気にかかって仕様がないから、あるとき思い立って身近の若い編集者に、その中味を見せてみろと迫った。

驚愕《きょうがく》である。あろうことかその内容物は、現金でも薬物でもなく、整髪料から美肌クリームまでの一揃《ひとそろ》いであった。美的感覚の欠如した男が、背広姿にリュックサックを背負って歩くのも最悪であるが、容姿にこだわって化粧品まで持ち歩く男は最低である。

つまるところ、背広のポケットに収まりきらぬほどの品物を持ち歩く男は、けっして信用してはならない。男たるものの本義が、はなから欠落しているからである。

読者ははたして夫や恋人の背広の、悲しくも猛々《たけだけ》しいあの重みを知っているであろうか。思えばいにしえの女たちは、愛する人の背広を脱ぎ着させるたびに、物言わぬ男の愛情と不断の責任とを確かめ続けていたような気がする。


（『ＭＡＱＵＩＡ』二〇〇五年六月号）

即効的美肌術

今回は即効的に読者のためになる話をしよう。

男が女を見るとき、好みのタイプはまちまちであるけれども、大方が美人の第一条件として注目するのは「お肌」である。俗に「色の白いは七難隠す」と言われる通り、造作にはさほど関係なく肌さえ美しければ、たいていの男はとっさに美人であると判定してしまう。いわゆる「雰囲気美人」の正体はこれである。

過密国家の日本では、そもそも人と人との距離が短いから、まず近視眼的に肌が目に入り、次いで顔立ち、プロポーション、動作の順になるのであろう。欧米社会は視線の順序がこの逆になるので、男も女もまず態度動作に気を遣い、プロポーション、顔立ち、お肌というふうにプライオリティを定めていると思われる。外国人から見ると異常だとまで言われる日本人女性の厚化粧も、逆に日本人から見れば肌にかまわぬ白人女性のふしぎも、これで説明がつく。

ところで、唐突なことを言うが、私はお肌がよい。人格趣味容姿容貌、何ひとつとして褒められたためしはないけれど、若い時分から五十オヤジの今日まで、このお肌だけはみんなが褒めてくれる。

ほかに褒めるところがないから、という可能性もあるが、体が頭の延長のごとくすべてツルツルなのはたしかである。

このお肌がいったいどのように維持されているのか、ものすごく気持ちの悪い解説であろうけれど、まあ聞いてくれ。

まず第一に、私は早寝早起きである。十九歳で陸上自衛隊に勤務して以来、午後十時前の就寝、午前六時前の起床という日課が今もたゆみなく続いている。医学的説明によると、人間の細胞は深夜零時から数時間のうちに新陳代謝が活発に行われるのだそうで、このとき眠っていない人は細胞の代謝が容易にできぬらしい。したがって、この時間帯には完全に眠っている私は、常に新しい皮膚細胞を獲得し続けてきたのであろう。言われてみればたしかに、接待業、編集者、インターネット・マニア、博奕打《ばくちう》ち等々の深夜生活者は、おしなべて肌が悪い。

次に、私は一流サウニストである。週に三度はそこいらの健康ランドに通い、大汗をかく。この習慣も三十年来であるから、巷《ちまた》にフィンランド・サウナなるものが出現したころからの筋金入りサウニストといえる。全身の汗腺が異常発達しているので、半日に三キロの減量は簡単である。サウナ知らずはまさかと思うであろうが、私が師と仰ぐサウニストの先輩は、一日に八キロという驚異のダイエット記録を誇っている。ただし、誤解なきように言っておくと、サウナに恒常的なダイエット効果はほとんどない。絞り出すのはすべて水分なので、入浴後に失われた水を補給すればたちまち元の体重に戻る。

それにしても、数キロすなわち数リットルの汗を絞って、その分の水を入れ替えるのであるから、代謝促進という意味では絶大の効果をもたらす。余剰塩分の排出という健康上の効果もさることながら、汗腺に詰まった汚れや皮脂を流し出すのである。美肌効果たるや覿面《てきめん》である。

かくして週三日のサウナに通い詰めること三十有余年、このごろではサウナルームの中で、年齢にかかわらずメンバーとビジターのちがいがわかるようになった。修行僧のごときメンバーはみなお肌がツルツル、たまにやってくるビジターは肌が悪い。一目瞭然である。

スポーツ選手は総じて肌がよい。むろん発汗によって常に老廃物を代謝しているからである。ことにウエイト・コントロールのためにサウナを併用するボクサーや競馬のジョッキーは、みな琺瑯《ほうろう》のごとき美肌の持ち主である。

早寝早起きの習慣とサウナ風呂、この二つを励行していれば、化粧品だのエステサロンだのに手間と大金を使う必要はないと、私は断言する。

しかし、この結論はあくまで私の場合であって、性別も生活環境も異なる読者にとって問題が残らぬわけでもなかろう。

まず、十時就寝六時起床という生活を続ければ友達がいなくなる。恋愛とも無縁になるであろう。

サウナは汗腺が発達するので、いわゆる「汗っかき」になり、化粧やおしゃれを阻害すること著しい。

さて、このさきは各人が考えるところである。生活時間の変更とサウナで、三カ月もあれば見ちがえるほどの美肌となることうけあいなのだが。

もっとも、いくら美肌を得て「雰囲気美人」になったところで、中味が伴わなければ女は不幸になる、というのが私からの忠告である。

今月の原稿もすべて書きおえたので、これよりサウナに行く。

(『MAQUIA』二〇〇五年七月号)

飽　食

　このごろ巷に、シャレた飲食店が急増していることにお気付きだろうか。

　一昔前なら、オフィシャルでもプライベートでも、いわゆる「勝負メシ」にふさわしい店は限られていて、同じレストランや料理屋に何度も足を運んだものである。ところがこの数年を振り返ってみると、こちらがホストであれゲストであれ、毎度行く店がちがう。つまりそれだけ、都内に新しい飲食店がオープンしたのである。

　まさか景気が回復したとは思えない。高層ビルが乱立してテナントの飲食店が増えるのは当然だが、どっこい新規開店はそればかりではない。どう考えても裾はラーメン屋から頂上は星の並ぶフレンチ・レストランまで、ともかく飲食店の絶対数が急増しているのである。

　この現象を説明する答えはただひとつ、みなさん家でメシを食わなくなった、ということであろう。ほかに考えようはない。はたしていいことか悪いことか、むろんよしあしを論ずるものでもなかろうが、考えるのはオヤジの勝手である。

そこで、五十余年におよぶ人生を、「わが外食史」という側面から顧《かえり》みた。

まず、少年時代に家族揃っての外食はまったく記憶にない。祖母に連れられて新宿伊勢丹の食堂に行った、という程度である。改まった食事というものはそれくらい贅沢《ぜいたく》なものであり、また近所の飲食店にも安易に足を運ばなかったのは、傍目を憚《はばか》ってのことであった。つまり、外食などをすると一家の主婦である母の良識が疑われたのである。

思春期に入ると、おませな私は勝手に外食を始めた。いわゆる「勝負メシ」の嚆矢《こうし》である。コレと定めた女性をデートに誘うことには全然とまどいがなく、むしろ借金をしてでもうまいものを食わせなければ無礼者だと考えていた。私が十七、八歳、つまり昭和四十年代半ばには、そうしたときにころあいのレストランが少かった。だから同じ店にしょっちゅう相手を替えて行くことになり、店員に白い目で見られた。

その後も私の女性に対する心がけは変わらず今日に至るのであるが、以後三十数年の間に通う店の選択肢がさほど増えたとは思えなかった。店は増えても、こちらの趣味も年齢とともに多少のレベルアップをするから、やはり同じ店に通うことになる。つまりその膠着《こうちゃく》状態がここ数年で一気に打開されたと思えば、昨今《あ》の現象は喜ばしい。

さて、こうして考えると、この現象にはさまざまの悪しき点がひそんでいることにも気付かされる。

かつて食事は自宅で摂《と》るものという大前提があり、外食そのものが大変な贅沢で、それですら傍目には、主婦が本来の務めを怠っているのではないかと疑われたのである。また、若者が分不相応な店で女と食事をすること自体、不良行為とみなされており、むろん相手の女性もそれは承知で、はなから腰が引けているから現実には「勝負メシ」にならなかった。

つまり、一家の主婦が家で食事を作ることが必ずしも使命ではなくなり、また若者が高級レストランで食事を摂ることが分不相応と思われなくなった意識変革の結果として、飲食店がかつてない勢いで増殖したと考えられるのである。

すばらしい世の中になった。だがしかし、あんがい古風な性格の、なおかつ無駄な勝負メシを多年にわたって食ってきた私には、異論を述べる資格があろうかと思う。

第一の点から物申せば、夜ごとうまい食事を亭主に食わせるというのは、使命でも責任でもなく、日本女性の美徳とするところである。わが国の食文化を支えてきたのは断じてレストランの厨房《ちゆうぼう》ではなく、世界に類を見ない台所の実力であった。どんな高級レストランの味よりも、女房の手料理のほうがずっとうまいと多くの亭主が信じ続けてきたけっこうな国など、世界中のどこを探してもないのである。つまり、夫婦や夫婦同然の恋人たちが美味を求めて外食する合理的理由は、儀式性を除いてはありえぬ。わが国の最もうるわしい伝統が、今や壊れようとしているのではあるまいか。

一方、第二の点から物申すと、いい若い者がレストランで勝負メシという光景は、あんがい外国には珍しい。私が若いころ浴びせかけられた「白い目」はいまだ健在で、分不相応な贅沢は恥ずかしい行為だという認識が生きている。いい意味で敷居が高いのである。こうした社会認識は世界的な美徳であろう。

たしかにすばらしい世の中になった。だが反面、世界に冠たる伝統的美徳が失われ、同時に分不相応の背徳が擡頭《たいとう》することを、思慮深いオヤジは危惧《きぐ》するのである。

料理とともに供される社会精神に気付かぬことを、飽食という。

（『MAQUIA』二〇〇六年三月号）

福袋の秘密

かつて経営していたアパレル会社は、デパートが主たる取引先であった。

年末商戦たけなわのころ、バイヤーから厳命が下される。福袋用の商品の供出である。時には会社までやってきて倉庫を覗《のぞ》き、まるで悪代官が租税を絞り取るように、これを出せと命ずることもあった。

むろんタダでよこせというわけではないが、先方が差してくる仕入価格には相当の無理があった。原価割れは当たり前である。

何しろデパートのバイヤーは出入業者の生命線で、臍《へそ》を曲げられたら最後、会社が立ち行かない。そのあたりはバイヤーもよく心得ているから、福袋に協力すれば来年はいい商いをさせてやる、と匂わすのである。

かくして年末には、まことに信じ難い優良商品の数々がデパートに集められ、店員も業者も総動員で福袋の大量生産が開始される。

私も若い時分にはその製造現場に駆り出されたことがあるが、けっして残り物でも余り物でもないバリバリのプレタポルテ・スーツが、一万円均一の福袋に惜しげもなく詰めこまれるのを見て仰天したものであった。

ああ、これで来季はこのメーカーの天下だと思うと、急遽《きゅうきょ》会社に取って返して負けないくらいのスーツを追加納品した。まったくデパートの思うツボである。

正月は二日か三日が初売りだが、この福袋を求めるために大晦日《おおみそか》から並ぶ客がいるらしい。しかし考えてみれば、早めに並んだからといって内容のいい福袋が保証されているわけではないから、これは利口な方法ではなかろう。

よりよい福袋を買うためにはいくつかのコツがある。

まず、専門店の店頭に山積みされた福袋には目もくれず、デパートのプロパー福袋だけを買う。さきに説明した力学により、余り物でも残り物でもない原価割れの内容であるのは、これである。

次に、松竹梅のランクがあれば迷わず「松」をチョイスする。一万円、三万円、五万円とあれば、五万円の福袋である。

袋詰めに際してデパート側は、まず何よりもクレームの回避に留意する。一万円の出費ならば「ま、いっか」とあきらめても、大枚五万円ではそうもいかぬからクレームがつきやすい。したがって松竹梅の「松」はそれなりの「自信作」になるのである。

さらには、同じランクの福袋を二つ買ってはならない。お客が考えているほど当たりはずれはなく、へたをするとそっくり同じ中味ということもありうる。いくつも欲しければデパートを何軒か回るのが正解である。

つまるところ、有名デパートの初売り福袋は出入業者の涙のたまものなのだから、価格的にはまちがいなくお買得なのである。

たとえば、こんな嘘《うそ》のような本当の話もあった。

ある業者がバイヤーに無理を言われて、フォックスの襟付きカシミヤコートを大量に供出させられた。ミセス向きのファー付きコートといえば、流行のない定番商品である。定価二十万円のこのコートを五万円の福袋に詰めこまれたのだから、業者はたまったものではない。そこで正月早々、アルバイトを動員して行列に並ばせ、これをできる限り買い戻した。五万円では作ることも仕入れることもできるわけはないのだから、ちょっとセコい気もするが当然の方法といえばそうであろう。

かくいう私は、お買物が大好きなのだが、正月の福袋だけはついぞ買ったためしがない。お買得であることは誰よりもよく知っている。しかしどうも、あの福袋の山を見ると昔の苦労を思い出してしまって、買う気にはなれない。

初売りで賑《にぎ》わうデパートに行って驚いた。業界がよほど不景気なのか、冬物のバーゲンの真っ最中で、品数も実に多い。

私が現役であった時分は、冬物は年内に売りつくし、年明けはいわゆる「梅春物《うめはるもの》」を売ったものである。もっとも、買ったところですぐには着ることのできない商品を売っていたわけだから、どちらが健全な姿であるのかはわからない。

業界の基本は、トップシーズンに正価で売れるだけ売り、残った商品を三十パーセントオフ、五十パーセントオフ、とマーク・ダウンして、それでも売り残せば潔く廃棄処分である。つまり、どのタイミングで買うかは消費者の勘どころなのだが、やはりお買物は一期一会《いちごいちえ》、バーゲンまで待つというのはおしゃれの邪道であろう。

そんなふうにして毎年お目当ての商品を買い逃すくらいなら、いっそ福袋を買って楽しむというのも一興である。おそらくここまで冬物の余っているご時世なら、今年の福袋の中味はさぞかし豪勢であったろうと思われる。

とは言うものの、この文章が読者の目に触れるころには、どこにも福袋はあるまい。もうひとつアドバイス。季節はずれの福袋は純然たる在庫処分で、まずお買得はない。

（『ＭＡＱＵＩＡ』二〇〇六年四月号）

あなたに首ったけ

初めてネクタイを贈られたのは、まだ十代のころであった。『霞町《かすみちょう》物語』に書いてある通り、私はたいそうおませな子供で、外出するときはたいがいスーツにネクタイを締めていたのである。

「お安くないねえ」と母は言った。値段の話ではない。女が男にネクタイをプレゼントするのは、「あなたに首ったけ」という意味なのだそうだ。

いったい私の家族は祖父母も父母も、勉強をしろなどとは口がさけても言わないかわりに、身なりにだけはやたらとやかましかった。

首ったけであったかどうかは知らないが、贈り主が記憶にないところをみると、私にはまったくその気がなかったのであろう。

ネクタイは厄介物である。女には身につける習慣がないのだから、選ぶにしても相当に難しいはずで、貰《もら》った男もまた好むと好まざるとにかかわらず、締めている姿を一度は見せなければならぬ。もしこのプレゼントが何ら違和感なく成功するとしたら、その男女は神が定めた宿縁で結ばれているか、さもなくば男がてんでファッションに興味がないかのどちらかであろう。

ひそかにコツを伝授しておく。

まずネクタイは、「無地」「プリント」「ストライプ」の三種に分類されると心得てほしい。男の趣味はだいたいどれか一種類に偏っているから、いつも締めているものと同種を選べば、色合いとは関係なくほとんどセーフである。これをスーツの色に合わせようとして選べば、アウトとなる確率は高い。

次に、あんがい値段はバレる。女の目から見ると、高級ブランドも一本千円のワゴンセール品も大差がないと思えるだろうが、実は厚みと長さが値段に比例するのである。これはさほど身なりに関心のない男でも、締めたとたんにはっきりとわかる。

では、高ければ何でもいいかというと、これがまた難しい。たとえば、ネクタイの代名詞として思いうかぶような高級ブランドは、たいがい高年齢層をターゲットに絞っているので、どれほど派手なプリント柄であっても、締めるとオヤジくさいのである。

「勝負ネクタイ」を選ぶポイントは、ほぼこの三点。すなわち要約すれば、男が日ごろ締めているネクタイが「無地」か「プリント」か「ストライプ」かを確認し、けっしてワゴンセールなどには目もくれず、できればブランド品でも国産ライセンスは避けて、正規のショップで買うのが望ましい。

さほどの勝負感はなく、さりとていいかげんなプレゼントはしたくないという向きには、地味めの「ストライプ」か水玉の「プリント」をお勧めする。なぜならこの二種類に限っては、ジョーカーのごときオールマイティで、はっきりセーフとはならぬがアウトにはしようがないからである。

しかし、これはまことに肝心なことなのだが、ネクタイを贈られると男はみな喜ぶ。センスに合うかどうかなどと考えるいとまもなく、その気持ちが嬉《うれ》しくてたまらない。つまりそれくらい、ネクタイというものは男にとって大切な、シンボリックな代物なのである。

考えてみてほしい。ファッションについて無限の選択が可能な女性に較べ、男の正装といえばスーツに限定される。しかもそのスーツ姿ですら、多くの人々の注目点は胸元のVゾーンに集中する。社会人になったとたんから、ネクタイが顔の一部であると思い知らされる。

そういう大切なものを贈られるということは、趣味のいかんにかかわらず魂に触れるのである。わかりやすく一言で言うなら、返す言葉は「ありがとう」ではなく、「ありがたい」ということになる。

さて、私はこの稿をネクタイを整理しながら思いついた。かように齢を経ればその数も無数と言っていいが、無用のネクタイをタンスの肥しにしていても仕方がないので、何年かに一度は整理することにしている。

ふしぎなことに、ネクタイは何本持っていようが締めるものは決まっている。それらの中には、お気に入りだがくたびれてしまっているものもあって、これを捨てるのはまこと悲しい。同じものは二度と買えぬというのが、定番商品のないネクタイの宿命である。

ところがそれら夥《おびただ》しいネクタイの中に、どれほどくたびれ果てても捨て切れず、なおかつ今も現役という傑作が二本ある。

一本は祖父の形見の濃紺の紬《つむぎ》で、これは年甲斐《としがい》もない細身のスーツには絶妙といえるほど似合う。

もう一本は母が直木賞受賞の記念に贈ってくれたプレゼントの華やかなプリント柄だが、こちらもまた出番は多い。

叱られた記憶も、何を教わったという憶《おぼ》えもないのだが、鏡の前に立つたびにしみじみ「かなわんよなあ」と思う。


（『MAQUIA』二〇〇六年六月号）

いいわよねえ

「男の人はいいわよねえ」

近ごろ同年配の女性がしばしば口にする言葉である。

女は年齢とともに魅力が衰えていくが、男は必ずしもそうではないから「いいわよねえ」という意味であるらしい。

高校時代のクラスメートたちとすこぶる仲が良い。つまり私とは何ら利害関係がなく、趣味も環境もまちまちな同い年の女性が、みな口を揃えてそう言うのだから、これは五十代なかばを迎えた女の総意と考えてもよかろう。

ちなみに、妻も秘書も私と同い年である。何の因果か知らぬが、私は昭和二十六年四月二日から翌年四月一日までの間に生まれた女性に、周辺を埋めつくされている。そこで、少くともこの十年ばかりは前出の言葉を、毎日のお題目のように聞かされるはめになった。

私は反論する。男だって肉体の老化は同じ、むしろ平均寿命が短い分だけ女よりも何歳かは老けているのだ、と。この持論だけはどうあっても譲れない。

遅ればせながらの作家デビューを果たしたのが四十である。クラスメートたちの証言によると、藤井フミヤに似ていたらしい。しかしデビューのときすでにそのおもかげはかけらもなく、頭はみごとにハゲ、腹はでっぷりと出ていた。のみならず壮年性の近視になってメガネもかけた。ハゲ、デブ、メガネ、の三重苦を抱えて世に出たのである。

くどいようだが、若い時分はけっこう美少年であった。

グラビアや宣伝用の写真をやたらと撮られる。サイン会や講演会で人前に立つ。ときにはテレビ出演まで強要される。小説家の日常はもっと地味なものだと思いこんでいた私は、デビューが遅れたことを心底くやんだ。

しかし、このツラが作品のイメージに繫《つな》がると思えば考えぬわけにはいかない。誰だって汚いオヤジの書いた小説を読むのはいやであろう。年齢に逆らった若作りをするのはかえって痛みを感じさせるであろうから、齢相応の、衒《てら》いも嫌味もない演出をするのが最善の策であろうと私は考えた。

以来十五年、血の滲《にじ》むような努力は今も続いている。男のほうがいいはずはない、と私は断言する。

ところで、「男の人はいいわよねえ」という言葉の裏には、根拠なき諦観《ていかん》がひそんでいるのではなかろうか。

女は十代よりも二十代のほうが美しい。これは誰しもが肯《うなず》くであろう。

二十代よりも三十代。これも半数は然《しか》りと思うはずである。

だが私はこのごろ、三十代の女性よりも四十代、四十代よりも五十代の女性のほうがより美しいと信ずるようになった。さらには、私より齢上の女性にえも言われぬ魅力を感ずることしばしばである。

むろん、誰に対してもというわけではない。放っておけば男も女も、お肌の老化とともに魅力も失われてしまうのは必然である。しかし年齢と親和しつつ、男であること、女であることを忘れずにいる人はいつまでも美しい。

これは真理であると思う。人間の魅力、しいて言うなら性的魅力というものが、お肌の活力だけであろうはずはない。たとえば職人の腕前や役者の芸が、瞭《あきら》かに年齢とともに磨かれてゆくように、人間の魅力もまた自然に蓄積されてゆくはずなのである。

ただし、職人や芸人と同様、努力を怠らねばの話ではあるが。

だから私は「男の人はいいわよねえ」の言葉の裏に、根拠なき諦観と怠惰を感じてしまうのである。

もっとも、その言葉には「男はいくつになっても恋愛ができる」という誤解もひそんでいるように思える。

まさに誤解である。男が若い女を求めるのは、けっして知的欲求によるのではなく、残り少い野性がそれを志向しているに過ぎない。つまり恋愛というよりも憧《あこが》れというべきであろう。仮に形ばかりの成就をさせたところで、多くの場合は男性の一方的な錯誤であるから、傷を蒙《こうむ》るのは当のご本人ばかりという結果になる。

そうしたみじめな結末を少からず目にするにつけ、私には野性をふりしぼるだけの勇気が持てない。

そうこう考えれば、やはり「男の人はいいわよねえ」という言葉には抵抗を感ずる。

もしこのさき正当な恋愛ができるとするなら、齢なりの美しさと知性とを兼ね備えたマダムのほかはあるまい。実は世のオヤジどものすべては、そう欲しているのである。

(『婦人公論』二〇〇七年十二月二十二日/二〇〇八年一月七日合併号)

「目だけ美人」の氾濫《はんらん》

小説家の仕事の基本は人間観察である。ともかく人間の心理と行動を正確に描き出さねば小説にならないので、無遠慮な観察がすっかり習い性になってしまった。

そうこうするうち、このごろ美人顔の重要ポイントを発見した。長いこと美人は「目」だと思っていたのだが、どうもそうではないらしい。世界に冠たるお化粧大国であるわが国には、「目だけ美人」が多いのである。

むろん、淋《さび》しげな一重瞼《ひとえまぶた》にも美人はいる。多少お肌が荒れていようが、エラが張っていようが鼻が低かろうが、やはり美人は美人なのである。では、彼女らに共通する重要ポイントとはどこであるかとさんざ思いめぐらした末、それは「口元」にちがいないとようやく気付いた。

いかに目鼻が秀でていようと、肌が美しかろうとパーツの配列が正しかろうと、口元が悪ければすべて悪い、とまで言える。しかも、そういう「惜しい不美人」がすこぶる多いところをみると、おそらく化粧では修正しづらい部分なのではあるまいか。

厳密にいうと、「口」ではなく「口元」である。絶世の美女と謳《うた》われる女優さんなどは、洋の東西を問わずこの口元が美しいことに例外はない。淋しげな一重瞼でもお肌が荒れていても、エラが張っていても鼻が低くても、なぜか美人は美人だという秘密はこれで、まさしく口元の良さこそ「七難を隠す」のである。

最もわかりやすい例は、ダ・ヴィンチの「モナリザ」であろう。かつて「モナリザは男だった」という異説がまことしやかに流布されたように、彼女の顔は必ずしも美女の基準を満たしているわけではない。むしろパーツのひとつひとつやその配列をよく観察してみると、格別な美人には見えないのである。

ただし、口元は魅惑的である。聖なるものと俗なるものが、絶妙の均衡をもって表現された「モナリザの微笑」によって、彼女は美女の代名詞となった。

何もダ・ヴィンチにかぎらず、古来美人を描こうとした画家はみな、肖像の口元に最も力点を置いたような気がする。その一点が表情の美醜を決定すると、誰もが知っていたのであろう。

さて、このことに確信を抱《いだ》いてからというもの、生まれつき面食いの私の採点はいっそう辛《から》くなった。お肌や目には渾身《こんしん》の化粧を施しながら、口元のだらしない女性が気になって仕方がない。

むろん、ここでいう「だらしない」とは、「歯並びが悪い」とか「唇の形が悪い」ということではなく、「緩んでいる」という意味である。口元に緊張感がなく、いつも唇を半開きにしている女性が多い。いや、女ばかりではなく男もまた然りである。ちなみに電車の向かいの席に並ぶ顔や、テレビの視聴者参加番組に集まる若者たちの表情を、よく見てみるがいい。ほとんどが透明の食物をくわえているように、だらしなく口をあけている。

飽食の時代の表情、無為徒食の時代の表情、とでもいうべきであろうか。物を考えぬ時代の顔である。

人間はおのれの力を発揮しようとするとき、それが筋肉の力であれ頭脳の力であれ、必ず奥歯を噛《か》みしめて唇を結ぶ。日常生活の中でそういう必要がないから、口元の緩みが地顔になってしまった。かくて「目だけ美人」が世に氾濫したのである。

しまりのない口元は、一見して品性に欠ける。表層をどれほど上手に糊塗《こと》しようが、品のない顔に美しさを見出《みいだ》すことはできない。品性とは、ささいなことでも疎《おろそ》かにせず、きちんと考え、きちんと行動する性格のことであるから、つまり豊かな時代の中でそうした努力がさほど必要なくなったということなのかもしれない。適当に生きても何とかなるから、口をとざす必要もなくなったのであろう。

口元を知性の表象とする観相学にも一理はある。俗に「勉強をすると顔つきが変わる」というやつである。学問にかぎらず物を考える習慣で、表情がみるみる変わるのは確かだから、読書のかわりにメール交換をするようになった結果、ぽかんと口を開くようになった、とも考えられよう。

こうなると、美人への道もなかなか険しい。なにしろ私たちは、バカにならざるをえない社会環境の中で生きているのである。

しかし、人間の表情というものは本人の自覚次第でいかようにも変えることができる。常に口をきりりと結ぶように心がければよい。で、笑うべきときにはにっこりと微笑《ほほえ》む。漢字で書けば、男なら「莞爾《にっこり》」、女なら「嫣然《にっこり》」という笑顔はあんがい演出できるのである。ともに品性ある人間の笑顔である。

「目だけ美人」の氾濫は世の凋落を見るようで、甚だ憂鬱になる。ちなみに友人の医師の説によると、常に口を半開きにしている人は呼吸器感染症にかかりやすく、予防医学上のハイリスクを負うそうである。

美容ばかりか健康のためにも、口はとじることにしようではないか。

（『MAQUIA』二〇〇五年四月号）

モリエールの言葉

秋になると、なぜかきまってモリエールのこの言葉を思い出す。

自然《フィジス》はあらゆる善美と調和を生み
反自然《アンチ・フィジス》はあらゆる破綻を生ぜしめる

私の人生の、生活の、また創作上の座右の銘である。春も夏も物思う間もなく過ぎてしまうが、冬に向かって緩慢に移ろう秋景色は、こうした大切な言葉を思い起こさせてくれる。

人間は自然を支配しているのではなく、大いなる自然のうちのひとつの存在に過ぎない。だから自然の摂理に従って生きれば、花や樹や風や星空のように、精神の善と肉体の美とを、不調和なく得ることができる。

一方、その自然に抗って無理な演出を試みようとすれば、必ずそれらは破綻する。いわゆる「不自然」である。

モリエールも私も、文学的な意味ではいわゆる自然主義者ではない。現実をありのままに表現するのではなく、相当に鑑賞者や読者に阿《おもね》って、悪く言うならウケを狙《ねら》うタイプの作家であろうと思う。しかし、だからこそ創作上のこの掟は守らねばならない。どれほど荒唐無稽《こうとうむけい》なストーリーであろうと、登場人物が自然に従う人間であり、自然の一部分として描かれてさえいれば、読者の共感を得ることができる。

むろん、人生においても生活においても、モリエールの説くこの原理は有効である。みずからを花や樹や風や星空と同様の自然の一部だと考えれば、たぶん人間は誰しもがすこやかに成長し、美しく老いてゆくにちがいない。

春も夏もあわただしく過ぎてしまうけれど、日ごとゆっくりと色を深めてゆく秋は、その真理を人間に教えてくれる。

たとえば、みずからを正しく装うコツというのも、これに尽きるのではあるまいか。年齢に抵抗しようとする努力は、その成果のいかんにかかわらず、痛ましさを伴う。いわゆる「若作り」は、自分の同世代からは感心されても、自然な若さを持っている人々から見れば、痛い、としか言いようがない。すなわち社会的評価は、「破綻」である。

その伝で言えば、もっと美しくなりたいというわがままの結果たる整形手術は、さらに痛い。どれほど成功しても何となく不自然であることは、すれちがった一瞬にさえそうとわかる。「破綻」を感ずるのである。

　また、これはわが身にも大いに省みるべきことなのだが、こうした反自然による破綻は女よりも男の装いに顕著である。このところ妙なブームとなっている「ちょい悪オヤジ」と呼ばれる男どもは、痛ましさの標本と言えよう。

　ロンシャンの競馬場に集うマダムたちの美しさには息を呑《の》む。人間には年齢相応の魅力というものがあって、しかもその魅力はむしろ年齢とともに増すのである。さすがはモリエールの国、自然に逆らわぬ善美と調和の結果であろう。

　そもそも日本にも、実年齢より若く見せようという美学はかつてなかった。「若作り」という評価はけっして褒め言葉ではなく、見苦しいという意味に用いられたのである。どうやらモリエールの原理は彼のオリジナルであるとは言えぬらしい。年甲斐のない身なりや言動は、見苦しいものとして忌避されていた。

　この常識を破壊したのは、アメリカの固有の美学であろう。社会に定年の制度がなく、隠居の概念がないアメリカでは、老いが社会的な死を意味する。そこで、「実年齢より十歳は若く見せよう」が合言葉になる。男も女も、パワフルでセクシーで若々しくなければ、美しくはないのである。まあ、それが超大国の活力となっているのだと思えば一概に否定はできぬが、いかにも世の中の落伍者《らくごしゃ》のようなアメリカの老人たちのうら淋しい姿を目にするにつけ、反自然の破綻ここに極まれり、という気がする。

私はかつて『王妃の館《やかた》』という小説の中に、モリエールを登場させて彼のパトロンたるルイ十四世と対峙《たいじ》させた。モリエールの遺した言葉が、自然をも支配しようとした太陽王に対する、痛烈な批判だったのではなかろうかと考えたからである。なるほど、ルイ太陽王の趣味たるヴェルサイユ宮殿は、「反自然の美学」の壮大な結晶と言える。

私たちは人間が自然の一部であることを忘れ、アメリカ的にあるいはルイ太陽王的に、反自然の生ぜしめる破綻を怖れなくなってしまった。それこそが美学であると信ずるようになった。かくいう私も、座右の銘であるはずのモリエールの言葉を思い出すのは、善美と調和の秋景色がゆったりと移ろいゆく、この季節だけである。

（『ＭＡＱＵＩＡ』二〇〇六年十二月号）

聖夜の会議《クリスマス・コンベンション》

贈り物に頭を悩ます季節がやってきた。

もともと私たちの国には「お歳暮」という慣習があって、年末の儀礼はそれだけでこと足りるはずなのだが、クリスチャンでもないのになにゆえイエスの誕生日を寿《ことほ》いでプレゼントの交換をしなければならぬのか、私はいまだ釈然としない。

そうは言っても、長い歴史の間に「お歳暮」は「家対家」の儀礼、クリスマス・プレゼントは「個人対個人」の儀礼というふうに定着してしまっているので、やはりこれらを混同すれば、「家」と「個人」の二面性を免れえぬ日本人としては人格を疑われてしまう。こうしてわれわれは、なかんずく「家」を背負い「個人」のしがらみも集積している世のおとうさんたちは、師匠も走る多忙のさなかプレゼントを探して夜の街を駆け回る。

七五三の慣習が呉服店のセールス・キャンペーンから始まったことはよく知られている。その伝でいうなら、クリスマス・プレゼントの習慣は大正期に擡頭したデパートの新企画が起源であろう。拙著『天切り松 闇がたり』で草創期のデパートについて調べるうち、そのことを確信した。

太平洋定期航路が開かれて、アメリカの「個」の文化がどっと流入した。「家」に縛られぬ当時の若者たちにも、年末にプレゼントの交換をさせることはできないものか、あるいは「家対家」ではなく「家の中」でもそれができるのではないか、という発想である。むろん、イエスの生誕とはもっぱら関係がない。クリスマスにはプレゼントを交換するという西洋の慣習にちなんで、「歳末大売出し」とはちがうテーマの購買力を動員し、年間予算の達成を果たそうとしたアイデアであろう。そうした商業的目論見がなければ、キリストも聖書もさしおいてクリスマスのプレゼントとイルミネーションばかりが、かくも独走するはずはあるまい。

この裏事情は想像するだにたいそう面白いので、そのうち『聖夜の会議《クリスマス・コンベンション》』などと題して小説にしてみようと思うのだが、どうだろう。

さて、クリスマス・プレゼントをもらったならば、ただ歓喜するばかりではなく、プレゼンターの苦労を考えてみるのが大人の女というものであろう。むしろ男の愛情を測る上において着目すべきは、金額ではなくその苦労の度合である。

以下、長い長い私のプレゼンター史上の、「プレゼント難易度ベスト・5」を挙げる。

つまり、この難易度は愛情の目安でもある。

●第5位「雑貨小物類」

アクセサリー、財布、キーホルダー、マフラー、手袋等々、これは簡単だ。しかも昨今ではてっとり早くブランドに依存すれば、考える手間がまるで省ける。これらをもらったならば、愛情の真価よりもまず「義理」を疑ってかかるべきであろう。

●第4位「セーター・ブラウス」

男がこの売場に立ち入り、品物を選ぶことが少々困難。ただし店員の勧めるまま、あるいはディスプレイを一見してサッサと買うことはできる。店員のプロポーションを参考にすれば、サイズをまちがえるおそれもない。ちょっと愛情を感じる。

●第3位「コート・スーツ」

これを贈る男は、よほど長い付き合いでない限りプレゼントの手練《てだ》れと考えたほうがいい。センスはともかく、サイズがピッタリだったらなおさら警戒である。

●第2位「靴」

いよいよ怪しい。なぜなら、この品物は簡単に見えてすこぶる難しいからである。たとえサイズを知っていても、型によっては履くに履けぬ靴があるのは男も承知しているので、その果敢さは男の気性を物語る。ましてやサイズがピッタリであったら怖い。

●第1位「下着」

欧米社会ではプレゼントの定番。「あなたにとって特別の男」という意味でもある。私は外国に行くたび、下着ショップで真剣にプレゼントを物色する男たちの姿を見て、尊敬の念を禁じ得ない。客観的事情はどうであれ、ちっとも特別ではない男からこれをプレゼントされたら進退きわまる。つまり歓喜するか叩《たた》き返すか、二者択一を迫られる窮極の贈り物といえよう。

などと、わがプレゼンター史を顧みながらふと思いついたのだが、どうやら私は贈られるよりも贈ることが好きであるらしい。言をかえれば、愛されるよりも愛するほうが好きなのである。

こんな片想い人生も初恋からの四十年を経れば、それなりに垢抜《あかぬ》けもする。このごろではディナー・テーブルに花束を置くことが私の習いとなった。

（『ＭＡＱＵＩＡ』二〇〇七年一月号）

「義理チョコ」とは何か

バレンタインデーが近付くと、私の胸は少年のようにときめく。むろん、愛の告白を期待しているわけではない。チョコレートが大好きなだけである。こうした素朴な期待感を抱く男はさぞ珍しかろうと思うけれど、チョコレートをくれる人なら誰だって好きだ。

私の机の上には、一年中さまざまのチョコレートが置かれている。バレンタインデーにあちこちからいただく風呂桶一杯分ぐらいのチョコレートは、ほぼ一カ月であらかた食いつくすので、その後は自前である。ばんたび買いに行くのも気恥ずかしいから、スーパーやコンビニで、サンタクロースみたいな顔をしてしこたま買いだめをする。

外国のホテルでは、ベッドメイクのときに必ずチョコレートを置く習慣がある。「おめざ」の意味なのだが、私はたいてい朝まで待てずに食べてしまう。で、翌朝は同行の編集者たちの部屋を回って「おめざ」を回収し、全部食べることにしている。

そんな私にとって、年に一度のバレンタインデーは、たとえば大酒飲みがどっさりと酒を贈られるくらい幸福なのである。いっぺんに食べると体に毒だから、おのれを律するためにまず年明けから「チョコ断ち」をし、禁断症状を耐えに耐えてその季節を迎え、しかるのちにもさらにおのれを律して、「きょうはこれだけにしておこうね」とかてめえに言い聞かせながら食べ始める。

ああ、今年もめくるめくバレンタインデーが迫ってきた。

ところで、実にふしぎに思うのだが、チョコレートの好きな男というのは世の中にそういるものではない。ましてや近ごろでは、働き盛りの男たちはみなダイエットに腐心しているから、努めて食べぬようにしているのがふつうである。

ではなぜ、酒でもなく煎餅《せんべい》でもなく、贈り物としての実《じつ》のないチョコレートでなければならぬのだろうか。まことふしぎと言うほかはない。

女性に経済的な負担をかけてはならぬ、という配慮から、愛する気持ちに添える程度の安価なお菓子が選ばれたのであろうが、このお手軽さが曲者《くせもの》で、気持ちの入らぬいわゆる「義理チョコ」が世に横行する結果となった。

むろん、バレンタインデーに私が手にするチョコレートのあらかたは、この「義理チョコ」である。女性編集者たちが激務の合い間を縫って、担当する作家や社内の上司たちに山のような「義理チョコ」を贈っているのかと思うと、いたわしくもなり、不毛の慣習を感じざるを得ない。個の自発的行為よりも、集団行動が優先するわが国の社会において、この「義理チョコ」はおそらく世の女性たちを大いに悩ましていることであろう。

例によって多少の蘊蓄《うんちく》をたれる。では、「義理」とはそもそも何であろう。漢学的にいうなら「義の理《ことわり》」であるから、「人として踏むべき正しい道」という意味になるが、実は「義理」という熟語は「礼理」や「仁理」がないのと同様、漢籍にはほとんど現れない。一方、日本の古典では『沙石集《しやせきしゆう》』や『愚管抄《ぐかんしよう》』を始めとして広く使われているので、日本的な造語と考えてよさそうである。これがさらに時代を下ると、「体面上なさねばならぬこと」という意味に曲解発展して、ほぼ現在の意味となり流行する。近松や黙阿弥《もくあみ》の戯作《げさく》はこの「義理」の応酬である。

西洋哲学にこうした「義理」の概念はないが、カント哲学のいうカテゴリカル・インペラティヴ、すなわち「定言命令」と訳される善の解釈に、ほぼ同義の説明を見出すことができる。

「善を行うにあたって条件つきではなく、なおかつ道徳法則の命ずるままに社会が要求する漠然たる義務感ではなく、近しい者や周辺社会に対して負う義務」要するにいわゆる「ノーブレス・オブリージュ」というものが、西洋的な「義理」と言えるのではないかと私は思う。

さらに、日本古来の精神とキリスト教の仲人である新渡戸稲造《にとべいなぞう》は、名著『武士道』の中でこのようなことを言っている。

「たとえば親に対し、血脈の保証する愛が欠落している場合、儒教でいうところの孝をおのれに命ずるためには何かの権威に頼らねばならない。この権威を義理という概念によって構成する。すなわち、実社会において義理は義務である」

さて、カントや新渡戸稲造まで引き合いに出すと、「義理チョコ」の解説もまことに意味が深い。どうか例文を精読して、かの人に贈るべきか否かを冷静に判断していただきたいものである。私たちが健全な未来のために戒《いまし》むべきことは、「みんながやるから私もやらなきゃ」という日本人的社会性である。社会の枠の中に個が存在するのではなく、個の集合によって社会が構成されてこそ、美しくも面白い世の中ができ上がると私は思う。

それはともかく、「チョコ断ち」の禁断症状も限界である。早くこいこい、バレンタインデー。

（『MAQUIA』二〇〇七年三月号）

梅春の憂鬱

年が明けると、ブティックの店頭にはいわゆる「梅春物」と呼ばれる色とりどりの商品が並べられる。

ウィンドウ・ショッピングには実に心浮き立つ季節なのだが、物を売る側にとっては一年のうちでこれほど頭を悩ますシーズンはない。

まず、プロパー価格が通用する期間が短い。かと言って、バーゲンで売りつくすのも難しい。色が薄いので商品が汚れる。シルクやリネンを使ったコストのかかるスーツが多いわりには、あんがい値段が通らない。冬物のセール商品と比較されてしまうから、順当なプライスを付ければ割高感を免れないのである。従って売り抜けようと思えば最初から利益を見込めなくなる。

まこと悩ましき「梅春物」である。そもそもこんなファッション・シーズンは必要ないのだが、客の金離れが良い暮のうちに冬物を売り切れば、年明けと二月の商品がなくなってしまう。本格的な春にはまだ遠い。そこで、「まだ寒いけれど気分だけ春」というスーツが、消費者の要求とはさほど関係なく開発されるようになった。その間、メーカーもブティックもデパートも、何とか社員を食わせねばならぬという苦肉の策であるとも言えよう。企業側から見た「梅春物」の正体は実はコレである。

棚卸しをしてデッド・ストックの重みに愕然とするのもコレ。消費者が洋服ダンスを開けて、「着もしないのに何で買っちゃったの？」と後悔するのもコレ。まこと「梅春物」はファッション業界の魔物である。

ところが私は、メーカーの営業で走り回っていたころも、ブティックを経営するようになってからも、この魔物を売るのが得意だった。仲間からは「梅春次郎」と呼ばれたことだってある。あんまり語呂がいいので、作家デビューを果たしたとき、ペンネームに使おうかと思ったくらいである。

これを売り捌《さば》くにはコツがある。もしかしたら業界の後輩もこの本を読んでいるかもしれないので、そっと伝授しておこう。

着眼すべきはただ一点、色目だけ。素材は完全無視、価格もほとんど無視、見た目の色が春らしくきれいなものだけをチョイスして売る。秋色や冬色の「梅春物」なんて、タンスの肥しになる資格もないのである。言われてみれば読者の「着もしないのに何で買っちゃったの？」も、鮮やかなピンクやブルーではあるまいか。

だがしかし、今さら私に文句をつけられても困るので、「梅春物」に対する正しい心構えを書いておくことにする。

これをまた来年も着ようとする根性が、まず誤りである。人々がまだ厚いコートに身を鎧《よろ》っているころ、ただひとりピンクのスーツにスプリング・コートを羽織って颯爽《さっそう》と街を歩くのが「梅春の粋《いき》」であり、なおかつ一回か二回の出番のために高価な代金を支払い、「今年もいい女だぞォ」とみずからに誓うのが「梅春物」なのである。

また、この「梅春物」は昨年の秋にメーカーが企画した今年の流行のトライアルでもあるから、一年のお買物を充実させるという意味でも、とりあえず一着は買っておくという意義はある。消費者にとってもお買物のトライアルなのである。

つまり、「粋」「誓い」「先見」という三つの要素によって、たとえていうなら「梅春のスーツ」は、「江戸ッ子の初鰹《はつがつお》」に似ている。値段だの出番だのと四の五の言わず、心意気で着るものが「梅春物」だと考えていただきたい。

それにしても、この季節になると毎年しみじみ、できれば女に生まれたかったと思う。

誤解なきよう言っておくが、私にはまさかソノ気《け》はない。純然たる男である。だが一年じゅう人前ではダーク・スーツを着るほかはない男の目から見ると、色とりどりの「梅春物」はまことに羨ましい。もし私が女であれば、この季節には気もそぞろにブティックをめぐって、着ようが着まいが山のようにお買物をしてしまうだろうと思う。

しかし、そうこう思いつつ街を歩けば、梅春の季節にもかかわらずカラスのごとき黒一色の男女ばかり目につくのは、いったいどうしたことであろうか。

黒を流行させたのはアルマーニが先駆であろうと思うが、いつの間にかどのブランドもどのメーカーも、黒をベーシック・カラーと決めつけたフシがあり、おかげで海外ブランドの植民地と化した日本中が黒ずくめになってしまった。

アルマーニの美的思想は「シンプル」である。その思想が黒という色になった。だが私の目には、黒ずくめの若者たちがけっして「シンプル」には見えず、「横着」としか映らない。つまりよほどのファッション・センスと、それに伴うライフ・スタイルがなければ、黒は着てはならない禁色《きんじき》なのである。

せめて梅の香ただよう春ぐらい、ピンクのスーツを着て街に出ようではないか。

（『ＭＡＱＵＩＡ』二〇〇七年四月号）

バンジージャンプ・ウェディング

聞くところによると、アメリカでは実に四組に一組の割合で夫婦が離婚するらしい。むろん全国民のうち四人に一人というわけではない。生涯独身主義の男女も数多いし、いわゆるバツ二、バツ三もあたりまえであるから、あくまで「結婚」という事実の破綻する割合が四分の一という意味である。つまりかの国では、結婚そのものがすこぶる柔軟に、社会習慣や道義性とはさほど関係なく、「愛し合った男女が生活を共にする」という唯一の目的のために行われるらしい。

だから、離婚に際してはさしたる原因を必要としない。愛情が冷めれば、これにまさる離婚理由はないわけである。

まことと理に適っている。かつての燃えたぎる恋愛感情などは夢のまた夢、惰性と生活の便宜と世間体という理由だけで、事実上の家庭内離婚を何十年も続けるわが国の夫婦よりは、よほど幸福な結婚観と言えよう。

近ごろでは日本も、次第にこの結婚観を学びつつあるようだが、思想が伴わぬまま離婚率という現実だけが先行してしまっているようで、これでは当事者の苦労も多いはずである。

たとえば「事実婚」という妙な言葉がある。日本の民法は戸籍届出による法律婚主義をとっているが、客観的に婚姻を認められる事実関係があれば、なるたけ社会もこれを容認しようではないか、という考え方がこの「事実婚」なる言葉を生み出した。

進歩的なようでありながら、実はすこぶる日本的な言葉である。「そんなこと認められるわけはないけど、仕様がないから認めよう」という意味がこめられている。日本固有の「和」の精神が作り出した、うまい現実妥協案ではあるが、社会の自然な推移を著しく阻害する言葉であろうと思われる。

むろん私はアメリカ流の結婚観が、合理的ではあれ正しいと考えているわけではない。しかし現実妥協案として事実婚を認めようという社会の動きは、いささか危険ではあるまいか。このような対西洋、対米の施策によって、近代日本はずいぶん過ちを犯してきたからである。少くとも思想を伴わぬ「事実婚」という言葉そのものが、きわめて差別的であることは言を俟《ま》たない。

私が知る限り、アメリカ人の結婚は日本のそれとはとうてい同列に論じられぬくらい、お気楽である。

たとえばラスベガスのストリップ地区とダウンタウンの中間には、まるで土産物屋《みやげものや》みたいに結婚式専用の小さな教会が建ち並んでいて、毎日二百八十組もの夫婦を量産している。“MAKE MARRIAGE! 99$99¢”などという派手な看板もあちこちに立っている。

まったく信じ難いことには、「ドライブスルー結婚式」なるものまである。マックの昼食よろしく黒衣の牧師が窓から顔を出し、車内の新郎新婦に誓いを立てさせ、神の祝福を与え、書類にサインをさせて一丁上がり。この書類をダウンタウンの役所に持って行けば、「結婚証明書」が交付されるのである。アメリカには原則として戸籍がないから、これが夫婦の証明になる。

いったい何を急いでドライブスルーかと疑いもするのだが、つまりアメリカには「愛してるよ」「私もよ」「結婚しよう」「そうしましょう」という勢いのまま、矢も楯《たて》もたまらずゴールインする夫婦がいるらしい。

早さばかりではない。万事においてノリのよい彼らは、結婚という儀式において厳粛さよりもユニークさを求める。

たとえば、お望みとあらばエルヴィスのそっくりさんがピンクのオープンカーですっ飛んできて、「ラヴ・ミー・テンダー」を甘い声で歌ってくれるし、異星人が列席する「スタートレック・ウェディング」もある。極め付きは、地上三十メートルの塔の上で牧師が神の祝福を授け、キスをしながら新郎新婦が真っ逆様に落下する「バンジージャンプ・ウェディング」である。

まあ、ベガスならではのご愛嬌《あいきょう》もあろうけれど、結婚式にはちがいないのだから、要するにアメリカ人はそれくらい自由にフランクに、結婚という事実を捉えているとも言える。

たしかに、愛情の冷めてしまった相手と多年にわたって生活を共にするのは、たとえどのような道徳や社会通念があろうと、苦痛にはちがいない。しかしその未来を予見して結婚を忌避する「事実婚」があるとしたら、いや、ほかにもさまざまの理由はあるのかもしれぬが、たぶん結婚にまさる苦痛を伴うはずである。

私はかつて、「バンジージャンプ・ウェディング」の見届人を務めたことがあるのだが、地上から見上げていると、あんがいその儀式には違和感がなかった。感動は厳かな結婚式と、どこも変わらなかったような気がする。

つまり、結婚はバンジージャンプの一種なのであろう。

(『MAQUIA』二〇〇七年七月号)

行く夏の庭にて

　このごろたそがれどきになると、きまって別れた人々のことを考える。ことに日の短くなった晩夏はひとしおである。どうやら昼と夜のはざまのその不確かな時刻には、忘れたはずの記憶を喚起させる魔力があるらしい。

　別れた人々とはいっても、かつての恋人や死別した肉親ばかりではない。何思うでもなく昏《く》れゆく庭を眺めていると、ふいに木戸を押して思いもかけぬ人がやってくる。

　――やあ、しばらく。

　――やあ。君は今、どこで何をしているの。

　むろん過ぎにし人は、黙して語らない。私のかたわらに寄り添って、行く夏の庭を見つめるだけである。

　愛情なり友情なり、およそ感情の濃淡にかかわらず、ずっと手をつないでいる人と袂《たもと》を分かってしまう人がいるのは、いったいどうしたわけなのであろう。

よくよく考えてみると、これは縁だの運命だのというものではないようで、あんがい自分が忌避したか、あるいはその逆であるかのどちらかであるらしい。しかも決定的な別れの原因があるケースは、むしろ稀であったように思える。

つまりわかりやすく言うなら、恋人の場合は「何だか冷めちゃった」のであり、友人の場合は「何だかつまらなくなっちゃった」というわけで、自分もしくは相手がたぶんそう考えた結果、おたがい流るる雲のごとく過去の人となってしまった。

幸い人間は、過去の経験をなきものと決めつけることのできる唯一の生き物であるから、五十の甲羅を経て晩夏の庭に佇むまで、別れた人の記憶に苛《さいな》まれることはほとんどない。

さほど冷淡な性格ではないと思うのだが、なぜ「何だか冷めちゃった」のか、「何だかつまらなくなっちゃった」のか、ここはおのれの人生を顧みる必要があると考えた。

そこでかなり独善的な結論を見たのである。あくまで私の場合であるが、昔から長く交わりの続いている友人はみな読書家で、いっときは仲が良かったものの別れてしまった人は、みなそうではなかった。

読書をすると美しくなるという説があるけれど、それは少々詭弁《きべん》であろう。ただし友情や愛情を持続するにふさわしい、面白みのある人間になることはまちがいない。

つまり活字に親しんでいない人は、よほど天性のキャラクターを持ってでもいない限り、話材にこと欠き思慮も浅いので、長い間には飽きてしまうのである。まさか口には出さぬが、私が内心「何だか冷めちゃった」「何だかつまらなくなっちゃった」と呟《つぶや》いた、その「何だか」という得体の知れぬわがままの真相は、それであったような気がする。

また一方、おたがい文句を言い合いながらいつまでも続いている友人が多くいる。いわゆる「腐れ縁」である。彼ら彼女らの共通点はみな読書家で、性格のよしあし、相性のよしあしにかかわらず、けっしてつまらない人間ではない。飽きないからこそ永遠の友なのである。

はたしてこれは、読み書きを生業《なりわい》とする私の個人的な人生観であろうか。

このごろ、人は見た目が何割だというような思想が横行しているようであるが、世の人が惑わされてはならぬと思う。

それは私が若い時分、一九六〇年代にかのマクルーハンが展開したメディア論の中ですでに語りつくされていた。たしかにその後の世の中の推移を見ると一理も二理もあったのだが、社会ではなく個人の人生を基軸として考えれば、さほどの説得力はない。

容貌もしくは容貌のもたらすイメージによって形成された関係を長く持続できるほど

現代人は審美的ではなく、また肝心の美の基準についても、ほんの一年か二年の間にころころと変わってしまうのであるから、追求することは不可能であろう。

しかし内実の教養というものは、遠い昔から不変の価値である。人類史上最も審美的であった古代ギリシア人ですら、その内実の教養を美の一部と考えていた。

そうこう思えば、どうも近ごろは見た目にばかり囚《とら》われて中味のない人間が多いようであり、当然のごとく社会で浮遊してしまう彼ら彼女らが、友や恋人に次々と去られて、わが宿命を慨嘆しているようである。

私のどこが気にいらなかったのかしら、と。

私には何ひとつ落度がないのに、と。

しかしどれほど非情な友人でも恋人でも、まさか面と向かって、「君はつまらない」とは言うまい。

夏の日は昏れた。

やがて読書の秋である。

（『MAQUIA』二〇〇七年十月号）

花のしたにて

花に執着するのは都会育ちのせいかもしれない。

私が子供の時分の東京は今よりずっと緑が少く、とりわけ生家の周辺はコンクリートで埋めつくされていた。小学校の花壇も猫の額のようであったから、花というものはたいそう稀少《きしょう》かつ貴重なものだと思いこんだのだろう。

そのせいか長じて独り暮らしをするようになってからも、アパートに花を絶やさなかった。食べるものに事欠いても花さえあれば貧しい気分を免れたので、すさんだ部屋にいつも薔薇《ばら》や百合《ゆり》が咲いていた。

恋人は私のアパートを訪れたとたん、ガラリと態度を変えた。それも一度や二度ではなかった。すんでのところでサヨナラという悲劇が度重なった。その悲劇の原因について私は、自分が間の悪い男なのだと思いこんでいた。あるいは、思いがけぬ貧しい暮らしぶりを見て、熱もさめてしまったのだろうと思った。私は身なりはきちんとしていたし、相応に見栄っ張りでもあったから、恋人は住居を見たとたんガッカリしたのだろう、と。

何人目かの恋人の口から、私はようやく悲劇の真相を知った。それまでの恋人たちはみな判で捺《お》したように無口で控えめな、つまり私好みの性格であったのだが、彼女だけははっきりと物を言ったのである。

「独り暮らしには見えないわよ」

視線はこざっぱりと片付けられた室内を見渡し、文机《ふづくえ》の上に置かれた花瓶に据えられた。そこで私はやっと気付いたのである。たしかに独り身の住まいを花で飾る男などいないだろう。

そのときのショックは忘れられない。無口で控えめな恋人たちはみな、飾られた花によってあらぬ誤解をし、すんでのところで私から身を翻《ひるがえ》したのである。べつだん自宅に呼んだ間が悪かったからではなく、暮らしぶりが貧しかったせいでもなかった。私は女がいるのにほかの女をアパートに引っぱりこむ、ろくでなしだと思われたのである。

自分の性格などよくは知らないけれど、たぶん親しい人々は、さもありなんとほくそ笑む話ではあるまいか。世事に長けているようでありながら、私はいつも肝心なところが抜けている。しかしこのごろになって、こんなふうに考えるようになった。

私は恋人たちよりも、花のほうを愛していたのではあるまいか。そして文机に飾られた花も、しおたれるまで私を愛してくれていた。貧しいアパートにはきっと、私と姿の見えぬ何ものかとの醸すかぐわしい色香が満ちていた。

恋人たちの顔はみな忘れてしまったが、ほんの何日かでしおたれていった花たちの顔は、ひとつ残らず覚えているような気がする。


いよいよ花の季節である。

梅が咲き、山茱萸《さんしゅゆ》が咲き、辛夷《こぶし》が咲けばじきに、めくるめく桜の洪水が押し寄せる。日ごろ花を賞《め》でる心のない人でも、さすがにこの季節ばかりは気もそぞろになる。桜という絶世の美女に誰もが心奪われる。古来わが国では、花といえば桜の意であった。

満開の桜はひとりで見るがいい。訪れる人もないささやかな木でもいいから、その根方にひとり蹲《うずくま》って散りかかる花にまみれるのである。じっとそうしていると、人生にはほかに何もいらないという気分になる。

心が満ち足りる。すなわち、幸福である。生き別れ死に別れ、裏切られ傷つけられ、あるいは大切なものを捨てたり壊したり、ぼろぼろの一年であったけれども、桜はわずか数日の花の命で人の心を満たしてくれる。すなわち物や金や時のあるなしではなく、花の心を感じ取れなくなった人間こそが、本当の不幸である。

その伝でいうなら、このごろ不幸な人間が多くなったのかもしれない。

たとえば小説を読んでも、一巻の長篇を通じて一輪の花も見当たらぬものが多くなった。芸術は天然の人為的模倣である。そのほかに特段の意味はあるまい。つまり桜の花がその天然の荘厳によってあまねく人の心を幸福で満たすように、芸術は人為によって人の心を幸福へといざなわねばならない。具体的に言うなら、花鳥風月の心を欠いた芸術などありえず、一輪の花も咲かぬ小説は少くとも芸術としての価値がない。
そうした小説が多くなったということは、人の世の全体に、銭金や打算的愛情の秤《はかり》でしか幸福を求める術《すべ》を持たない心の貧困が、はびこってしまったのだろう。

吉野山《よしのやま》　こぞのしをりの道かへて
　まだ見ぬかたの　花をたづねむ

ねがはくは　花のしたにて春死なむ
　そのきさらぎの　望月《もちづき》のころ

西行《さいぎよう》法師は幸福な人である。

（『ＭＡＱＵＩＡ』二〇〇八年五月号）

肌か心か、心か肌か

多くの日本人女性が「天敵」とする紫外線の季節がやってきた。

男は背丈さえ高けりゃモテる。女は肌さえ白けりゃモテる。なぜかと問われても困るのだが、たしかな事実である。これらの長所はまさに「七難を隠す」と言っても過ぎてはおるまい。

海岸やプールサイドでメラメラと肌を灼《や》く女もいないわけではないが、あらかたは健康美を武器とする二十代前半までで、日本的な美学と常識に気付いたのちは、誰もがクリームを塗りたくってパラソルの下に入り、太陽を忌避するようになる。

ところがふしぎなことに、欧米人の女性は紫外線を愛する。年齢に関係なく、肌を灼くことが美容と健康に役立つと、彼女らは信じているらしい。もともと色白である分だけ紫外線の吸収率は高いので、肌は見る間に赤むくれとなり、さぞ痛かろうと気を揉《も》むのだが、そんなことは委細かまわず彼女らは太陽を愛し続ける。日本人の目から見れば、まこと悪しき習慣と言うほかはない。

欧米人の肌が総じてシミだらけであり、年齢に伴う劣化が甚だしいのは、この習慣が大いに関係していると思う。それればかりか、皮膚癌《ひふがん》の発症率が最も高い国はオーストラリアで、これはもともと肌の白い人々が紫外線の強い土地に移住したせいだと言われている。にもかかわらず、彼女らは海岸やプールサイドで肌を灼き続ける。かのオージーたちも皮膚癌覚悟で日光浴を楽しむというのは、いったいどうしたことであろうか。

まことしやかに流布している説に、こういうものがある。

欧米人で肌が灼けているのは、南の島でバカンスを過ごしてきたという意味で、要するにおのれがセレブだと自慢するために、たまの休みにはできるだけ太陽を浴びるのだそうだ。

まさかそんなはずはなかろう、と私は思う。たかだかのミエが、シミや癌の恐怖を超克するわけはない。したがってこれは仮説の域を出ない。

また一方で、このような説も聞く。

欧米人は日常生活に紫外線が少いので本能的な太陽信仰があり、このときとばかりに肌を灼くのだそうだ。

やはり説得力に欠ける。この説に従って決定的に紫外線が不足する白人の国を挙げるとしたら、北欧かせいぜいドイツ、ロシアの一部ぐらいであろう。だとするとワイキキの浜辺で一日中干物になっているアメリカ人や、ゴールドコーストのオージーたちは何ものか。ましてや太陽信仰を言うなら、天照大神《あまてらすおおみかみ》を戴《いただ》く私たちは何ものかという疑問も生ずる。

つまり紫外線を厭《いと》う人々と愛する人々との合理的な説明はつかないのである。しいて言うなら美学のちがい、あるいはそうと信ずる健康法のちがいであろうか。

ところで、紫外線については皮膚癌との関係のほかに、もうひとつの医学的仮説がある。日照量不足はメラトニン分泌を変化させ、うつ的な気分を助長させるという説である。これに冬期の寒さや降雪量なども加わって、寒冷地における自殺率を上げているらしい。怖い話である。

あくまで仮説であるが、ならばわが身はどうかと考えれば聞き捨てならぬ。小説家の生活はどこに住まおうが隠花植物に等しい。ましてや唯一の交友関係にある編集者もまた同様で、言われてみればふつうではない人々が多い。この説が本当であるとしたら、実にヤバいと思った。

しかしいくらか安心なことには、私はしばしば日光浴をする。若い時分に三島由紀夫が自宅の庭で読書をする写真を見て以来、その雰囲気の優雅さに憧れて同様に本を読む習慣を持った。ただし肉体を誇示する悪趣味はなく、あいにく誇示するほどの肉体も持たぬので、ひなたぼっこをしながらの読書というほうが正しい。旅に出たときも午前中の日課は、プールサイドの読書である。ハードワークのわりに精神が安定しているのは、もしかしたらこの習慣のもたらす福音《ふくいん》かもしれない。

そのようにわが身を顧みれば、紫外線が精神衛生上好もしいのはたしかなように思えてくる。太陽はひたすら内向する精神を、回れ右させてくれる実力を持っている。ためしに気分のすぐれぬときは、ベランダや公園で思うさま太陽を浴びてみるがいい。お肌には毒かもしれぬが、心はまちがいなく変わる。欧米人が求めているのはこれであろうという気もしてくる。

だがしかし、日本人女性の肌は世界一美しい。顔立ちやスタイルまでとは言わぬけれど、紫外線を忌む習慣が培った、きめ細やかな白い肌は掛け値なしの世界一であると断言してもよい。肌か心か、心か肌か。この選択はまことに悩ましい。

（『MAQUIA』二〇〇八年六月号）

花実双美

花が好きである。

若いころには物を食う金がなくとも花だけは買った。

今でも花を贈られるとたまらなく嬉しい。講演会やサイン会でいただく花束は儀礼的なものなのだろうけれど、必ず家まで持ち帰る。飛行機や新幹線の中では気恥ずかしくもあるが、どこかに置いてくることはない。

花は持ち運ぶことのできる自然である。地球は人為のとうてい及ばぬ美しい自然に満ちているが、人間が勝手に切り取ってわがものにできる自然は、そうはあるまい。しいて言うなら、私が花を愛する理由はそれである。

このごろ、花に興味を示さぬ女性が多くなった。むろん男性においてをやである。花の話題を持ち出してもちんぷんかんぷんで、何よりも花の名前を知らない。私は花を賞でる心が情操と教養の基準だと考えているので、とたんにその人物が信用できなくなる。

その昔、中国の官吏登用試験である科挙《かきょ》において、第一位の合格者を「状元《じょうげん》」と呼び、第二位を「榜眼《ぼうがん》」、第三位を「探花《たんか》」と称した。この「探花」とされた優等生は市中に馬を走らせて牡丹《ぼたん》の花を探し、歓びの思いをこめて皇帝に捧《ささ》げたという。美しい話である。すなわち、昔はそれくらい情操と教養が不可分のものであると考えられていたのであろう。むしろ花を賞でる情操が、人間的教養そのものであり、人格の要件であるとされていたと言える。中国のみならず、日本においてもキリスト教社会においても、イスラム社会においても、この考え方に変わりはない。

科学万能の世の中となり、より合理的な生活を追求するうちに、人は花を愛する心を失ってしまったのであろうか。当然のなりゆきと言ってしまえばそれまでだが、理に適わぬ部分は排除するという生活態度は、まことに貧しいと私は思う。

京都の古いお茶屋に、明治の元勲の筆になる「花實雙美《かじつそうび》」という軸がかかっていた。読み下せば、「花も実も双《ふた》つ美し」である。西洋の合理的な文明を移入することとなった時代に、こうした立派な覚悟を持っていた明治人は聡明である。

われわれの社会は、実を求めて花を忘れてしまった。むろん花の美しさを忘れてしまえば、その実のうまかろうはずはないのだが。

花実双美というこの名言には、もうひとつの意味も汲《く》み取れる。件《くだん》のお茶屋は置屋も兼ねているので、そこに暮らす妓《おんな》たちの戒めの言葉とも読めるのである。

つまり、「見映えが良いばかりではなく、中味も美しくなければいけません」という意味である。姿が良く、芸も達者で、なおかつ教養もなければ名妓《めいぎ》とは呼ばれぬのだから、この解釈に拠《よ》るとしてもまさに至言というべきであろう。

おそらく元勲は、開化の世に対する心構えと、世の流れとはかかわりない伝統に生きる妓たちの心構えとを、この四文字の中に同時に托《たく》したのではなかろうか。

花は自分のために購《あがな》い、自分のかたわらに置く。本来は神のものである自然を、人間《ま》が盗み取ってくる。だからといって神様に叱られるわけでもなし、けっして人為では真似《ね》のできぬ美が目の前に置かれるのだから、これほどの贅沢はあるまい。

恋人はいてもいなくてもいいが、花がなくては困ると、十八歳の私は本気で考えていた。そのふしぎな価値観は今も作品の中に生きているようで、ヒロインの描き方はいいかげんなものだが、その足元にはいつも花が咲き誇っている。

私はけっして人間が作り出すことのできない花のかたちに、その色に、その香りに、嫉妬しているのかもしれない。一行に思い屈して筆が止まってしまったとき、机に置かれた一輪の花が嗤《あざわら》っているような気がするのである。

永遠に憧れながら、永遠に手の届かぬ、花は私にとって真実の恋人なのかもしれない。

そう思えばふしぎな価値観も容易に説明がつくのだから。


（『ＭＡＱＵＩＡ』二〇〇六年五月号）

ふたたび花実双美

小説のよしあしは主人公の魅力にかかっていると言ってよい。

かつて『輪違屋糸里《わちがいやいとさと》』を執筆するにあたり、私が最も苦慮した点はそれであった。幕末の京都島原《しまばら》を舞台に据えたこの物語には、男の視点がない。時代の傍観者であり犠牲者であるはずの女たちが、愚かな男どもを凝視し続けて、しまいには歴史そのものを造り出してしまう。

技術的にはたいそう難しい小説だった。なぜなら作者の私が男だからである。ましてや男を愛するという趣味もまったくない。女心を毛ばかりも理解せぬ典型的な日本人オヤジが、女性視点のみで上下巻の長篇小説を書こうというのだから、その難しさといったら同じ新選組を素材とした『壬生義士伝《みぶぎしでん》』の比ではなかった。

主人公は「糸里」という十六歳の娘である。現実を傍観せず犠牲にもならず、このいたいけな少女がある決定的な場面に躍りこんで、歴史の重大な局面を造り出してしまう。

構想は練り上げたものの、私は執筆のまぎわまで彼女をはじめ視点者たる女たちの人間像を捉えきれずに悩んでいた。そもそも子供の時分からの文学三昧《ざんまい》、ことほどさように女を知っているわけではなかった。

連載開始も迫ったある日、糸里が育った島原の置屋を取材した。今も文化財として保存されている「輪違屋」である。

かつて太夫《たゆう》が起居したという二階座敷の鴨居に、古い扁額《へんがく》がかかっていた。

——花實雙美

花も実も双つ美し、と読み下そう。

まったく思いがけずに、その言葉を読んだとたん小説ができ上がった。

幼いころ女衒《ぜげん》に買われて島原にやってきた糸里は、唄や舞や琴や三味線や、そのほかありとあらゆる教養を詰めこまれて育った。島原の太夫たらんとする女は、姿かたちの美しさばかりではなく、大名公家《くげ》までも得心させる文化人でなければならなかった。

花実双美。花も実も双つ美し。

背筋を伸ばして唇を引き結び、鴨居にかけられた言葉をじっと見上げる少女の姿が思いうかんだ。糸里はその訓えの通りにおのれを鍛え上げた女だった。

そして百五十年ほど前の雨降りの夜、利欲に惑う愚かな男どもに代わって、糸里は歴史を造り出す。

男女の性別にかかわらず、人間は本来、花も実も美しくなければならない。いや、花ばかりが美しいはずはなく、実ばかりがおいしいはずはあるまい。美しい花はその実もおいしく、おいしい実を結ぶ花は美しい、と解するべきであろう。

なかなか難しいことではあるけれども、人間が真にめざすべきはこれである。むろん歴史を動かすなどは本意ではないにしろ、少くとも客をもてなす者の精神はかくあるべしと、この言葉は諭す。まさしく聖言である。

そもそも百五十年前には、自分を客観的に見ることのできる映像が存在しなかった。写真はないわけではなかったが、むろん一般的ではない。そればかりかガラスも普及してはおらず、鏡すらも金属を磨いただけの、甚だぼんやりした代物であった。

だからその時代の人々は、自分自身の見た目の美醜を容易に信じなかったのではあるまいか。それよりもむしろはっきりと信じられるものは、内面の実力であったにちがいない。

誰もがそうと確認できるが、自分だけが見ることのできないものは自分自身の姿であり、一方では自分自身も他者と同様に確認できるものが、伎芸《ぎげい》であり教養であり、それら実力に支えられた優雅な立ち居ふるまいだったはずである。そうした時代の女性の魅力は、「花実双美」でなければならなかった。

では、ビジュアリズムが氾濫する今日はどうなのだろう。

周囲には事実を正確に映す鏡がたくさん置かれており、カメラがありビデオやＤＶＤがあり、われわれは常に客観的な自己像を確認することができる。また同時にテレビやインターネットや雑誌のグラビアを通じて、おのれがかくありたしと考える理想の客観美も供給され続けている。

こうした世の中では見た目の美しさが魅力のすべてであると錯誤され、内側のおいしさも同様の魅力であることなど、おそらく誰もが忘れてしまっている。

男の視線からすると見映えのよさはたしかに魅力のうちではあるが、よほど絶世の美女でもない限り、「見飽きぬ花」などそうはないのである。

むろん男女が逆の立場でもこれは同じであろう。かくしてビジュアル時代の恋愛は短期間で終息する。幸福を約束するもの、あるいは広義での人間関係を保証するものが、「食いつくせぬ果実」であることをわれわれは忘れてしまった。

愚かな恋人の、「おまえ、男を羨んだことはないのか」という問いかけに、作中の糸里はこう答える。

「ただのいっぺんもあらしまへん。わては何べん生まれ変わろうと、おなごがよろしおす」

その声を聞いたとたん、私は糸里に恋をした。

花実双美はよい言葉である。

（『ＭＡＱＵＩＡ』二〇〇八年九月号、「花も実もふたつ美し」改題）

たとえば、たそがれの並木道で

静謐《せいひつ》な女が好きである。

佇まいが凛《りん》としており、挙措が美しければなおいい。頭のよさやみめ形は問わない。たとえば、たそがれの並木道を、なに語るでもなく肩が触れるでもなく、ひたすら歩き続けて飽きのこぬ女である。

協調性のある私は、相手が饒舌《じょうぜつ》であればこちらも同様になる。むろんそれはそれで苦にはならぬのだが、口は達者でも饒舌は私の本性ではない。話材は声に出すよりも考えているほうが好きなのである。だから物静かで口数の少い女と一緒にいると、ふしぎなほど心が安らぐ。

世の中はアメリカ流の自己表現が盛んになって、そうした物言わぬ女がいなくなってしまった。「わたしって――」「わたし的には――」などという一人称から始まる対話の氾濫には辟易《へきえき》する。どうして君という人を想像させてくれないんだね、と私はいつも心の中で呟く。

古来わが国の礼式には、わたくしごとを避けるというるわしい伝統があった。「わたくしごとで恐縮ですが」と前置きをせねばならぬくらい、一人称主語による会話は無礼とされてきた。

たとえば、たそがれの並木道を歩みながら、物言わぬ女の性格やら胸のうちやらを、あれこれ想像することは楽しい。わずかな言葉によってそれらがほんの少しずつ、衣を脱ぐように明らかになってゆく。私の恋の道筋には、いつもそうした経緯があったような気がする。

古風な女、とひとくちに言ってしまえばそうかもしれない。だが古今を問わず、この国のうつろいゆく四季と湿った風の中にいる女は、やはりそういう人でなければ愛せない。

それにしても、静謐な恋人たちとの別れの場面がひとつとして思い起こせぬのは、いったいどうしたことであろう。少しずつ後ずさるような真似はした憶えがないのに、きっぱりと別れたその日の記憶が欠けている。おりふし思い出すのは、寡黙な恋人との甘やかな日々ばかりである。

別れの言葉は、どのような美辞麗句を並べつらねようが、すべて呪わしい。およそ知れ切った理由を、いかに糊塗しようとしたところで始まらぬ。訣別《けつべつ》の一言と諾《うべな》いだけがあればいい。

たとえば、たそがれの並木道で、私が唐突に永遠の別れを告げたとき、彼女らはみないつに変わらず黙りこくったまま、踵《きびす》を返して立ち去ったのであろう。そして私たちは、けっして振り返らなかった。

寡黙な恋人たちは、饒舌な恋人たちよりもたがいをよく知っている。愛情のある限り、想像は正しいからである。多弁であればあるほど、言葉の中に潜む嘘や虚栄はたがいを惑わせる。

静謐な恋人は賢明であった。心にもない言葉までを口にして、美しい記憶さえも台無しにしてしまうことを、彼女は怖れたのであろう。あるいはそう考える私の胸のうちを察し、みずからもそうと信じたのかもしれぬ。

どう思い返そうとしても、私にはつらい記憶がない。思い出は傷《いた》みに変わることなく、朽ちもせず風にも拐《さら》われず、こがね色の落葉となって私の胸に敷きつめられている。

（『ロフィシェル・ジャポン』二〇〇五年十／十一月号）

第二章

ふるさとと旅

私と旅

おくればせながら、五十をいくつも過ぎてようやく道後《どうご》の湯に浸《つ》かった。

私は無類の風呂好きであり、なかんずく温泉好きである。家族や親しい編集者が気を揉《も》むほどの不在のときは、べつだん悪い遊びに嵌《はま》っているわけでも神隠しにあっているわけでもなく、書物をごっそり抱えてどこかの湯宿にいる。

道楽であるから仕事は持ちこまない。むろん書物の中には執筆に必要な資料も含まれているが、原稿用紙とは無縁である。小説家は仕事と道楽の境界が不明確であるから、書くことが仕事で読むことは道楽だと、勝手に決めつけている。

こんな生活を若い時分から送っているのに、いまだかの道後温泉に行っていなかったというのは、われながら意外であった。そもそも温泉そのものよりも、温泉で読書をするという行為が道楽なので、自分の足跡などはいちいち考えてもいないのである。

理事を務めている日本ペンクラブの催しがあって松山を訪ねたのだが、温泉そのものが道楽ではない私は、道後温泉が松山市内にあるということすら知らなかった。ホテルに到着して何気なく観光地図を見ていたら、歩いても行けそうなところに「道後温泉」と書いてあった。ものすごく得をした気分になり、多少の時間もあったので一ッ風呂浴びることにした。天下の名湯を初体験するにしては、まことに思いがけぬ行きがかりであった。

道後の湯は熱い。このごろは世の中何でもマイルドになってしまって、温泉もヌル湯の長湯が主流のようだが、東京の銭湯で育った私にとって、やはり湯は痺《しび》れるほど熱くなくてはならない。泉質は淡白であるが、このとびきりの熱さに惚《ほ》れた。

私の入浴術はアツ湯の長湯である。唸《うな》りながら、気息奄々《きそくえんえん》となるまで熱い湯に浸かり、風に当たるなり水を浴びるなりして体を冷やしてから、また唸る。医学的には最悪の入浴法であろう。

こうした温泉の使い方をしていると、いろいろな男たちが過客《かかく》のごとく私の前を行き過ぎてゆく。言葉をかわすことはあっても、何ひとつ縁のない関係というのがまたここちよい。相手の選《え》り好《ごの》みはせず、ひたすら人間好きというのも私の生まれ持った気性である。湯がぬるいと長話をしなければならないが、熱ければ話し相手は次々と替わる。面倒がないうえに面白い。

ところが、このときは私と趣味を同じうする客がいた。痺れるほど熱い湯に唸りながら浸かり、さっさと出るかと思いきや、体を冷やしてからまた入ってくる。二時間も同じことをしていれば、長い話もしなければならなくなる。

名前までは知らない。わかっていることは、私と同い齢《どし》の一九五一年生まれ、ニュージャージー州に住む生粋《きっすい》のアメリカ人である。頭のハゲ具合も腹のたるみようも、他人とは思えなかった。

長湯のつれづれに、私と彼はカタコトの英語と日本語で語り合った。語学力が同じくらい貧しいと、会話はあんがいスムースに成立するのである。

ニュージャージーに住むアメリカ人のオヤジが、なぜ道後温泉で垢抜《あかぬ》けた湯の入り方をしているかという種明かしはこうである。

彼は十年ばかり前に、仕事で初来日した。そのとき取引先に接待されたのが箱根の湯で、以来日本の温泉に嵌ってしまったらしい。

「イッツ・ア・ワールド・ヘリテイジ（これこそ世界遺産だ）！」

と、彼は話しながら何度も大声で言った。

なにしろ彼はこの十年、休暇はことごとく日本の温泉めぐりに費やしているそうである。今回も三週間の休みを取って、家族サービスなどくそくらえ、単身来日して四国と九州の温泉場をめぐっているという。

彼に言わせれば、日常生活（もしくは人生）の中に温泉がある日本人は、それだけで世界一贅沢《ラグジュアリー》で、世界一幸福《ハッピー》な国民にちがいないらしい。

なるほど欧米にも温泉がないわけではないが、私の知る限りでは日本のように普遍的な観光地ではない。医療を目的とした保養地という程度のもので、むろん世界中の人々のほとんどは温泉を知らぬのである。

「君はいったい、これまで何カ所の温泉に何回くらい行ったのだ」

と、彼はまったく羨望《せんぼう》の表情を露《あら》わにして訊《たず》ねた。そんなことを訊《き》かれたって、日本人は誰も答えられまい。私は北海道の温泉から指折り数え始めたが、東北地方の半分ぐらいであきらめ、「カウントレス」と答えた。

「数えられない？　まったく、なんて幸せなやつだ！」

温泉とは、日本文化の保存装置であると私はつねづね思っている。

豊富で多彩な湯はむろん世界に類がなく、私たちは火山の噴火や地震という災害の代償として、この国の神々から温泉という宝物を授かっているのではあるまいか。

そして、どこの温泉宿にも自慢の懐石やら伝統の郷土料理が用意されている。着物という、すでにほとんど私たちの生活から失われてしまった民族衣裳《いしょう》も、浴衣《ゆかた》や丹前という形で供される。マンション生活から消えてしまった畳の上で暮らし、その上に小さな蒲団《ふとん》を敷いて眠る。

つまり日本人は、どれほど洋風の日常生活を送っていようが、温泉に行ったとたん滅びざる日本の衣食住に身を委《ゆだ》ねることができ、日本人であることをほぼ完全に認識し直し、たちまち父祖の伝統文化を恢復《かいふく》することができるのである。

こうした保存装置を、快楽とともにたやすく利用できる国民は、やはり世界一贅沢《ぜいたく》で世界一幸福なのであろう。

そう考えれば、昨今の温泉地の窮状や伝統旅館の相次ぐ廃業は、文化喪失の一大事であるという気もしてくる。

私たちは、最も身近にある偉大な世界遺産の存在に、誰も気付いていないのではあるまいか。

温泉が危機的状況にある原因は、主に三つであろうと私は考えている。

第一は海外旅行の隆盛である。私もこの十年ばかりは年に数回も外国に行くようになって、そのぶんゆっくりと温泉で過ごす時間は減った。ことに若い人の感覚からすれば、実は国内の温泉旅行よりも海外旅行のほうが断然お得であろう。わかりやすく言うなら、東京から九州や北海道の温泉に行こうとすれば、同じ料金で世界中どこへでも行けるのである。

第二には、団体旅行が少くなってしまったことであろう。私が子供の時分には町内会だの組合だのの旅行がひんぱんに催されていた。大人になってからもしばらくは、勤務先の社内旅行という行事がどこにもあった。国民全体の意識が団体から個人に移ってしまったのだから、団体客に依存していた大型旅館ががら空きになってしまうのは当然の結果と言える。

第三は娯楽の多様化である。年に二回の温泉旅行だけが楽しみであった昔とはちがって、今日では旅に出ることもなく日々を面白おかしく過ごせるだけの趣味や快楽が、さほど金銭や時間の余裕とは関係なく、誰の生活の中にも犇《ひしめ》いている。たとえば、テレビの番組にしたところで、とうてい見つくせぬくらいの快楽を二十四時間にわたって供与してくれるのであって、もし温泉に行きたければその無数のチャンネルのうちのひとつを選択すれば、居ながらにして擬似体験をさせてくれる旅番組をいつもオンエアしている。

二時間の長湯をおえると、彼は温泉めぐりのユニフォームであるという藍《あい》の作務衣《さむえ》を着た。

「ハワイは日本人だらけだ。わからん、なぜだ」

と彼はしきりにぼやいた。その後に続く長口上はよくわからなかったが、つまりたった百ドルで上等な飯まで食わしてくれる温泉がいくらでもあるのに、どうして日本人はわざわざハワイで休暇を過ごすのだろう、という彼なりの素朴な疑問であるらしい。

彼が「hot spring」とも「spa」とも言わずに、必ず「onsen」と言ってくれたことが、私にはたまらなく嬉《うれ》しかった。ちなみに、もし冗談でないとすると、彼の再婚相手の若い妻と幼い男の子は、休暇をハワイで過ごしているそうだ。

まさか温泉三昧《ざんまい》で人生が変わってしまったわけではあるまいな、と私は少し危惧《きぐ》した。


（『旅行読売』二〇〇六年五月号）

尾張町《おわりちょう》の十文字

私はおそらく、銀座に都電が走っていたことを知っている最後の世代ではあるまいか。

東京に生まれ育ち、時代の変遷は絶えまなく見続けてきているから、子供のころに見た風景はかえって記憶から失われてしまった。だがどういうわけか、四丁目の交叉点《こうさてん》を縦横に走っていた都電の姿だけは、ありありと瞼《まぶた》に残っている。

たぶん、目の奥に灼《や》きついてしまうほど、長い時間をかけてその風景を眺めていたことがあったのだろう。記憶の中のアングルからすると、どうやら私は三越の玄関から交叉点を見つめていたようである。

そのころ、今と同じ場所に三越の玄関があったのかどうかは知らないが、ともあれ私の記憶に残る四丁目の交叉点は、きまってその角度からのものなのだ。

行き交う都電の姿とともに、信号待ちをする人々の真っ白な日傘が目にうかぶ。おそらく夏の日盛りのことだったのだろう。

年端《としは》も行かぬ少年がそんな場所にぼんやりと佇《たたず》んでいるわけはないから、私は家族との買物に飽いて、玄関の獅子《しし》の像とたわむれていたのかもしれない。

　ことさら記憶にとどめるべきなにがあったわけでもないのに、どうしてその光景だけをはっきりと覚えているのだろうと考える。

　五十年を経た今、しいてその答えを探れば、それが私のふるさとの原風景であったからというほかはあるまい。生まれ育った故郷の山や海を眺めるのと同じように、私はぼんやりと銀座四丁目の往来を見つめていたのだろう。多摩川を渡れば一人の知り合いもいなかった私にとって、都電が行き交い、パラソルの花が咲く銀座の街角は、最も象徴的なふるさとの風景だったのだろうか。

　祖父や祖母は、銀座四丁目の交叉点を「尾張町の十文字」と呼んだ。

　深川の粋筋《いきすじ》の出身であった祖母に連れられて、よく芝居見物に行った。

　家は裕福で、祖母もたいそう贅沢な人だったが、芝居を観る席はいつも三階の大向こうと決まっていた。

　もっと近くで観たいと言うと、祖母は、芝居はここから観るものなんだよ、とわかったようなわからぬようなことを言った。

「音羽屋《おとわや》ッ！」という祖母のかけ声が耳に甦《よみがえ》る。当代の菊五郎はまだ若かったから、祖母の贔屓《ひいき》は梅幸だったのだろうか。演目も役者も、まったく記憶にはない。

後年、ひとりで歌舞伎座に通うようになってからも、私は祖母の好み通りに三階の大向こうに上がった。だが四十を過ぎてから急に近視が進み、やむなく桟敷《さじき》に下りた。ずっと高級な席で芝居もよく見えるのだが、大向こうから威勢の良いかけ声が降り落ちてくるたびに、なんとなくわが身の堕落を感ずる。まさか桟敷席から「音羽屋ッ！」でもあるまい。

銀座は私のふるさとの一部にはちがいないのだが、東京人の誰にとってもそうであるように、やはりほかの盛り場とはちがう特別の町だった。

買物にしろ芝居見物にしろ、銀座に行くということには一種の儀式性があった。夏であれば祖母は絽《ろ》か紗《しゃ》の着物に日傘をさし、祖父は口髭《くちひげ》を揃《そろ》えてパナマをかぶった。当然、孫も白い靴下に革靴をはかねばならず、往来で大声を出したり、むやみにはしゃいだりしてはならなかった。

そうした儀式性はいわば芝居のきまりごとのようなもので、子供心にも不合理な、陳腐な感じがしたが、つまりそういうものなのだと思っていた。

ふしぎなことに、この思いこみは今も変わらない。

新宿に出るときは普段着でもいっこうにかまわないのだが、銀座に行くとなると目的が買物であろうが酒場であろうが場外馬券売場であろうが、多少のおめかしをする。近ごろでは祖父の姿を思いうかべながら、白いものの混じった口髭をていねいに揃える。先日、思いついて、トラヤ帽子店でパナマを買った。鏡の中の顔は、薄気味悪いほど祖父に似ていた。

都電はいつごろなくなってしまったのだろう。

そんなことすらも気に留めておられなかったほど、銀座の変容はあわただしく、また私自身の浮沈もはげしかった。小説家というのどかな時間を得て今さら顧《かえり》みても、知らぬうちに喪《うしな》われてしまった風景はなにひとつ戻ってはこない。

そう思えば、夏の日盛りの鮮明な記憶はかけがえがない。

交叉点を縦横に行き交う都電。石畳に轟《とどろ》く轍《わだち》の音。信号待ちの人々の白いパラソル。停留所の島を灼く、かがやかしい夏の日ざし。

ことさら記憶にとどめるべきなにがあったわけでもないのに、その一瞬の光景ばかりをありありと覚えているのはなぜだろう。

もしかしたら、幼い私はその風景がいずれ遠からず消えてなくなってしまうことを、朧《おぼろ》げに予感していたのではなかろうか。

たとえば、ダムの水底にやがて沈んでしまうふるさとを心に焼きつけておこうとでもするように。

そう思えば、私が過ぎにし風景を思い出そうとするとき、きまって亡き祖父母のおもかげが心を被《おお》う理由も肯《うなず》ける。

私はたぶん、遠からず世界からいなくなってしまう祖父母の姿を、けんめいに記憶しておこうとしていたのではないだろうか。

酒場に向かう道すがら振り返れば、尾張町の十文字には、きょうも夏の日が昏《く》れてゆく。

（『百店満点』一九九六年九月号）

「よそいきの街」は今

私の生家は身なりにやかましかった。

祖父母からも父母からも、勉強をしろなどという無粋な説教はされたためしがなかった。そのかわり、登校するときも遊びに出るときも、厳重な服装点検をされた。よし、と言われるまでは何べんでも着替えさせられるのである。ために遅刻をすることしばしばだったが、それでも傍目《はため》に悪い格好をするよりはまし、というのがわが家の揺るがせざる道徳であったらしい。

絵に描いたような江戸前の気風である。すこぶる人口が過密であり、しかもその人口の半分を武家階級が占めていた江戸では、見栄を張るというよりそれくらい傍目を気にしたのであろう。

三つ子の魂百までの格言通り、百までは程遠いがなかばの五十をとうに過ぎた今日でもこの習慣は変わらない。外出前は亡き祖父母の視線を感じて、合格するまで何度も着替えをする。在宅の日ですら、朝昼晩と普段着を替えねば気がすまない。年齢とともに衣裳も増えるので、その手間にかかる時間たるや毎日一本の短篇《たんぺん》小説が書けるのではないかと思うほどになった。

そのようにしてようやく街に出ると、人々の身なりはたいそうカジュアルになっている。どうやらこのごろでは「よそいき」が死語になってしまったらしい。

私の記憶によれば、かつてネクタイを締めずに銀座通りを歩いている人は珍しかった。とりわけ敷居の高かった銀座ばかりではなく、新宿でも渋谷でも盛り場に出るときは、誰もが気合の入ったおしゃれをしたものである。

いつであったか、地下鉄の中で向こう前に座る男を睨《にら》みながら、祖母が私の耳元で囁《ささや》いた。

「おまい、まちがったってつっかけで地下鉄に乗ったりするんじゃあないよ」

以来私は、サンダルどころかスニーカーをはいて外出したこともない。個人的にはさしたる気構えも思想もあるわけではないから、江戸前の躾《しつけ》に呪縛されているのであろう。東京とは元来、それくらいよそいきの街であった。

娘が幼いころ、「どうしてパパはいつもネクタイを締めているの」と訊かれて答えに窮した。自分でも合理的な説明がつかぬからである。

「東京の男はネクタイを締めて外出するのがきまりなんだ」

はたして正答であったのかどうか、何となくうら悲しい返事ではある。私のふるさとはいつの間にか、習俗も言葉も矜持《きょうじ》も、雑駁《ざっぱく》たる文化の中に埋もれてしまった。

少々季節はずれの話題ではあるが、そんな私にとって「クール・ビズ」なるノーネクタイ運動は噴飯ものであった。「エコ」という大義名分は、景気回復が至上命題たる昨今のご時世ではまったく説得力に欠ける。早い話が楽な身なりをして大衆に阿《おもね》ろうとするのか、あるいは本人が楽をしたいかのどちらかであろう。いずれにしろ江戸ッ子の道徳には反する。

楽なりをしていくらか冷房費を節約したところで、何も変わるまい。そんなことよりも、人と接するに際して、あるいは事をなすにあたって、礼を失し威儀をたださぬことがどれほど当人の力を削《そ》ぐか、何十年もネクタイを締め続けてきた男子ならばわからぬはずはあるまい。異論はさまざまあろうけれど、私個人としてはつっかけをはいて地下鉄に乗る無礼者の印象を、どうしても拭《ぬぐ》い去ることができないのである。

私の祖父は二の腕に彫物《ほりもの》を入れた博奕打《ばくちう》ちで、祖母は深川の鉄火芸者だった。そもそもは武家であったらしいが、明治維新で落魄《らくはく》したあと、祖父の代にはそういうことになっていた。

教養のかけらもない二人ではあったが、身なりはいつもきちんとしており、背筋は凛《りん》と伸びていた。そして、思い出すだに胸のすくような、正しい東京弁を使った。

カジュアルに変容した銀座通りを歩いていると、何となく背広の胸に祖父母の位牌《いはい》を抱いているような気になる。それくらい、「クール・ビズ」に難癖をつける江戸ッ子がいなくなってしまった。それでもやはり私のふるさとは、矜《ほこ》り高いよそいきの街である。

(『朝日新聞』二〇〇六年九月二十八日夕刊)

普段着の街

私は三十ちかくになるまで、大阪の街を知らなかった。

多くの東京人にとって、大阪デビューは修学旅行である。ところが私の場合は中学のそれが京都と奈良、高校は九州というわけで、ついに大阪を知らずに青春をおえた。同級生の中には、大学に進んだ年の大阪万博が初見参《はつげんざん》という者もいるが、浪人をした私はその機会も失った。

社会に出てからは婦人服業界に身を置いてそれこそ日本中のデパートを駆け回ったのだが、やはり大阪には縁がなかった。これには理由がある。当時の東京と大阪のファッションには歴然たるちがいがあって、東京の売れ筋が大阪では通用しないケースが多かった。今にして思えば一種の業界神話かもしれないが、大手アパレルならいざ知らず、中小のメーカーが大阪を避けていたのはたしかである。

どういうわけか、京都や神戸のデパートとは取引があった。それでも大阪だけは避け続けていたのだから、業界神話はよほど根強かったのだろう。言うまでもなくその神話の根拠は、大阪商人に対する畏怖《いふ》と、大阪のファッションに対する偏見である。いざ商売を始めてみると、この神話の根拠が幻想ではないことを思い知った。

大阪の客は買物をするにあたって、まず値札を見る。東京の商品は流行を付加価値として割高の値段を付けているので、値札にプライオリティを置かれてしまえば、たちうちできない。

一方、デパート側は商品の大量陳列を要求する。売れない理由は商品が少いからだと言い張るのである。東京流の商売の常識では、品物が見やすいように、また上等に見えるようにスカスカなディスプレイをする。どうやら大阪の商売人から見ると、そうした売場のかたちは手抜きに思えるらしかった。

そんなわけで、大阪ではいい商いをしたという記憶がない。神話は生きていたのである。

もっとも、商品をワゴン車に積んで大阪の街に入ったとたん、いやな予感は抱《いだ》いていた。私にとってはそれが初めて見る大阪である。どうしてみんな普段着で歩いているのだろうと思ったのだ。

この印象は三十年たった今でも、さほど変わらない。大阪では当たり前すぎて誰も意識しないだろうけれど、東京人の目から見ると梅田の地下街や心斎橋を、普段着で歩くということがそもそも信じられないのである。

たとえば、典型的な江戸ッ子である私の生家の実態は、およそこんなものであった。祖父は長い時間をかけておめかしをした。普段着の浴衣を単衣《ひとえ》の着物に替えて角帯を締め、髪をポマードでコッテリと撫《な》でつけていそいそと出かける。じいさん、どこへ行ったのだろうと思う間もなく、タバコを買って帰ってくるのである。で、また普段着に着替えて一服つける。家から一歩出れば「よそ」だから、「よそいき」を着るという考え方である。べつだん特別な家であったわけではなく、それが東京の生活習慣だった。

結婚をしたころ、地方出身の妻は私のこの習性をひどく珍しがった。近所のスーパーマーケットやパチンコ屋に行くのに、なぜ着替えるのか、よほど始末のいい人だと思ったらしい。子供のころからの習慣だから、私自身は何を考えているわけでもなかった。タバコを買いに出るくらいはともかくとして、少くとも不特定多数の他人の前に出るときは、小ぎれいななりをするものだと思いこんでいた。もっとも、若い時分は着替えもそうたくさんは持っていないので、習慣だけが形骸化して残ることになる。つまり、似たような普段着に着替えるだけなのだから、そのならわしはなるほど奇癖と見えたのかもしれない。

江戸の町は長らく人口の半数を武士が占めていた。俗に東京の見栄坊と言われるこの習慣のみなもとは、たぶんそれであろう。

私が祖父母に手を引かれて歩いた銀座は、今よりもずっとおしゃれで、矜り高い街であったように思う。芝居がはねたあとそのまま銀座に流れても、まだ舞台を眺めているようなものだった。祖父母も私も、道行く人の誰もが役者気取りだった。

東京のそうした伝統も時代とともにずいぶん希釈されたが、なくなってしまったわけではない。やはり銀座に出るときには、舞台に上がるほどの気概をもってめかしこむ人が多い。

先日、大阪滞在中にトレーニング・ウェアのままホテルを抜け出し、梅田の地下街を歩いた。実に生まれて初めての冒険だった。あまりのここちよさに、サンダルを買ってはきかえた。

そのときから、大阪がとても好きになった。

（『おおさかの街』六十一号〔二〇〇五年十月発行〕）

黒髪のシャラポワ

一年のうちで最もさわやかな季節がやってきた。

すこぶる暑さに弱い私は、夏という地獄を予感させる春よりも、冬に向かう秋のほうが好きなのである。どうしたわけか寒さにはめっぽう強い。

どうも人間には、気温を感ずる個体差があるように思える。一般的には女は暑さに強く、男は寒さに強いと言われている。生まれ育った土地の気候が関係しているのもたしかであろう。体型的にはデブが夏に弱く、ヤセが冬に弱いのも当然である。生まれた季節によるという、科学的根拠はないがそれらしい説もある。

しかし何にもまして、個人の体温が影響しているのではあるまいか。平熱が低ければ気温が下がってもさほど寒いとは感じず、高めの人は身にこたえる。もしかしたら逆かもしれないが、いずれにせよ体感気温のちがいは個人の体温と関係があると思う。

そういえば、旅先でいつもあきれることなのだが、アメリカ人はどうしてああも寒さに強いのだろう。たとえばこの季節にヨーロッパを旅すると、アメリカ人のツアーはひとめでそうとわかる。声がデカいとか体がデカいとかいう以前に、まったく季節はずれの短パンとTシャツ姿がいれば、まずまちがいなくアメリカ人と考えてよい。おまえ寒くないのかよ、と思わず訊いてみたくなる。

肉とジャガイモばかり食べていると、体温が上がるか下がるかして寒さに強くなるのであろうか。彼らの世界一の偏食生活を考えればそんな気もするのだが、同じアメリカ人でも黒人が寒さに弱いのはたしかなのだから、この説はやはりちがう。

冬のニューヨークでマンウォッチングをしていると、黒人の多くがモコモコの着膨れであることがわかる。バス停などで肩をすぼめ、せわしなく足踏みをしているのも決まって彼らである。この点を考えれば、体感温度というものは食生活や居住地域の気候とはさほど関係のない、もっと根源的な遺伝子レベルに真相が隠されているのかもしれぬ。

ところで、寒冷地ほど背が高くなるという原理をご存じだろうか。

中国を旅するうちに気付いたのである。たぶんかの国は世界一緯度差があるので、南北に移動しているとはっきりそうとわかる。

香港《ホンコン》人は小柄である。上海《シャンハイ》はほぼ日本人と同じくらい、北京《ペキン》人は明らかに背が高い。これがさらに万里の長城を越えて北に向かうと、ふしぎなくらいどんどん背が高くなる。

それればかりではない。紫外線の照射率が低くなるせいか肌が白くなり、なぜか鼻梁《びりょう》が秀でて彫りの深い顔立ちになるのである。酷寒のハルピンの街などを歩くと、ファッシヨン・モデルそこのけの美しい男女にしばしば目を奪われる。

長い歴史の間に、ロシアの血が入った結果だと言う人もあるのだが、そのわりには瞳の色や頭髪に混血は感じられない。ハルピン美女の典型といえば、まさしく黒髪のシャラポワである。

この気温と身長の相関関係は、ヨーロッパにおいても歴然としている。ただしこちらはラテン系とゲルマン系の人種的な個体差はあるが、それにしても地中海沿岸の温暖な地方は小柄で、北に向かうほどやはり背が高くなる。アルプスを北に越えてドイツに入ると、突然巨人国に入ったような気がするし、北欧はさらに背が高い。

そうこう考えると、べつに学者がきちんと説明したわけではないが、寒くなればなるほど今日的な基準でいう美男美女が多くなるのはたしかである。

そこで、はたしてこの持説はわが国にも援用できるかどうか、と考えた。

私見ではあるが、東北地方には美人が多い。ことに青森、秋田、岩手の三県は、むろん全員ではないがおしなべて、色白、目パッチリ、鼻筋が通って背も高い。気温の低さと紫外線量の少なさであろうと思う。

北海道と仙台がこの例に洩《も》れてしまう理由は、前者が全国各地からの人々の集合地であり、後者が実はさほど寒くはないからであろうか。

ただし、仙台市民の名誉のために言っておくと、この街はすばらしくおしゃれである。

理由は語れば長くなるので、また日を改めて述べようと思う。

さてかくかくしかじか考えるにつけ、一般的に女性が苦手とされるこれからの寒い季節は、実は美しさを担保するための絶好の機会なのではあるまいか。

寒い思いをすればするほどお肌は白くなり、鼻は高くなり、背も伸びるかもしれぬ。夏は冷房の利いた部屋にちぢこまって暮らし、冬こそ外に出て活動する、という美容法はどうであろう。あんがい理に適《かな》っているとは思うのだが、ちなみに子供のころからそのパターンで生活している私は、べつだん背が高くはなく、色が白いわけでも、鼻筋が通っているわけでもない。

（『ＭＡＱＵＩＡ』二〇〇七年十二月号）

独眼竜の子孫たち

「仙台はすばらしくおしゃれである」というようなことを書いたところ、その理由が知りたいという意見が多く寄せられた。そこで今回は私観ではあるがそのことのみに紙数を費やそうと思う。

私はかつてアパレル業界で、全国各地の百貨店に納品する業務を長く担当していた。東京から発信された流行に最も早く反応する地方都市が仙台であることは、三十年前ですら業界の常識だった。

さらに具体的に言うなら、いかなる自信作でも仙台ではずれればまずダメなので、量産に入る前に少量を当地に出荷し、その反応によって全国的な展開を考えるというメーカーもあった。売れ筋の正確な予測が立つのは東京都内ではなく、仙台市内なのである。

当時の私はそうした業界の常識について、ナゼかと考える余裕はなかった。理由がわかったのは後年になって、時代小説を書くためにいろいろと勉強を始めてからである。

仙台といえば古くは伊達藩《だてはん》六十二万石の城下町であった。この伊達家は鎌倉時代からの名家であるが、幕藩体制下にあって藩祖とされるのは、有名な独眼竜政宗である。何でもこの人は相当の洒落者《しゃれもの》であったらしい。豪勇の誉《ほま》れ高き戦国武将でありながら、その遺品を拝見するといかにダンディな人物であったかが知れる。殿様がそうした人であると、家来たちもみな右へ倣《なら》えというわけで、仙台藩士のおしゃれぶりはつとに知られていた。

参勤交代制度により、殿様は江戸と国との間を忙しく往復する。仙台藩の場合は旧暦四月出府《しゅっぷ》の一年交代であった。つまり江戸屋敷には殿様の出府期間中はむろんのこと、在国の年にも大勢の「伊達者《だてもの》」が住んでいたのである。ちなみに彼らが暮らしていた江戸屋敷は、上屋敷が港区汐留《しおどめ》の日本テレビがある場所、中屋敷は芝の愛宕下《あたごした》、下屋敷は麻布の韓国大使館がその跡地である。

ともあれ仙台藩士たちが発信するファッションは、江戸ッ子の注目の的であったらしい。ジャケットは彼らの着る「伊達羽織」が最もカッコいいとされ、ボトムは「仙台《せんだい》平《ひら》」の袴《はかま》に限るともてはやされた。独眼竜政宗のダンディズムを伝統的に継承する仙台藩士たちは、江戸のファッション・リーダーだったのである。

ひいてはおしゃれな男を「伊達男」と呼ぶようになり、悪い意味では外見にこだわることを「ダテ」というようにもなった。「カッコよさ」は「ダテっぷり」であり、度のないメガネは「ダテメガネ」というわけである。

べつだん政宗が命じたわけではあるまい。歴代の殿様がおしゃれであれば、自然に家来たちも同様になり、仙台藩の藩風とでもいうべきものになったのであろう。

もうひとつの理由としては、仙台という町の地理的な利も考えられる。江戸時代には海運が流通の主幹線であったから、仙台は江戸に最も近く、最も大量に物資の輸送ができる地方都市であった。城下町が海に面しているというのは大藩の条件でもあるのだが、金沢も鹿児島も江戸からは遥かに遠い。

当時の江戸も現代の東京も、人口こそ多いが実は全国の人々が寄り集う雑居都市である。だからファッションの発信地でありながら、きちんと選別されたおしゃれが実現されているとは言い難い。仙台藩士が江戸のファッション・リーダーであり、今日も仙台市内のデパートやブティックが流行のアンテナ・ショップであるという事実は、いわば歴史の必然なのであろう。

仙台市内にはメンズ・ショップが多い。まさしくナポリなみである。それだけのお店があるというのは、むろん需要が多いからであって、その点についてはようやくこのごろ本気になり始めた東京のメンズ・ファッション業界の比ではあるまい。

先日、久しぶりに仙台でサイン会を催したとき、お越しになった若者たちの身なりのよさに改めて驚いた。メンズ・ファッションのレベルはカジュアルでわかる。つまり若者たちが普段着にどれくらい気を配っているかが、全体的なおしゃれ度の指針となる。

あんがい気付かぬことであるが、町なかでよくよく目を凝らしてみれば、仙台の若い男どもの洒落っぷりはまさに日本一どころか世界一であろうとさえ思った。

伊達政宗の作と伝えられる船唄にこんなものがある。

初春の好き日《よ》をどしの着長《きせなが》は
小桜をどしとなりにける
さてまた夏は卯《う》の花の
垣根の水にあらひ革
秋になりてのその色は
いつも軍《いくさ》に勝色《かついろ》の紅葉《もみじ》にまがふ錦革《にしきがわ》

彼がいかにおしゃれであったかをしのばせる唄である。

また明暦《めいれき》のころの古文献の一節には、深い編笠《あみがさ》をかぶって顔を見せず、白柄《しらつか》の大小を仙台平の袴に差し、流行の伊達羽織を腰に巻いて江戸市中を歩むダンディな仙台藩士の姿が書き留められている。歌舞伎の舞台にしばしば登場する、「伊達者」である。

たぶんご当地のみなさんは意識されていないだろうが、仙台の町なかで見かける独眼竜の子孫たちは、まことにカッコいい。


（『ＭＡＱＵＩＡ』二〇〇八年一月号）

下衆《げす》と横着者

仙台市民のおしゃれ気質について書いたが、話題を今しばらく江戸時代にとどめてみようと思う。

昔の殿様は原則的に一年交代で江戸と国元に住むことを義務づけられていた。何とも忙しい話である。中にはもっと忙しい半年交代の大名もおり、遠隔地の場合は隔年交代や三年交代という例もあるが、七割程度は一年交代とされていた。つまり七割の殿様はその在任期間中の半分を、江戸で過ごしていたわけである。

また、妻子は人質としてずっと江戸にいるので、殿様にしてみれば本宅は国元のお城ではなく江戸屋敷という感じだったであろう。第一、当のご本人も江戸屋敷で生まれ育ったのだから、故郷もこちらである。あんがい知られていないことだが、全国のお殿様のあらかたは江戸生まれの江戸育ちであった。

したがって社員たる藩士たちの半数も実は江戸詰めということになる。江戸の町は日本全国から出張しているお侍さんで溢《あふ》れ返っていた。全国的には人口の約二割が武士であったが、江戸に限っては総人口の半数を占めていたのである。江戸はまったく侍の町であった。

こうした事情から、当時の江戸がいかにおしゃれな町であったかは想像できよう。なにしろ全国から集まってきた侍たちが、けっして「田舎侍《いなかざむらい》」と呼ばれぬよう、郷里のファッション・レベルの威信をかけて日々を過ごしていたのである。それぞれのお国の体面がかかっているのだから、藩ごとに相当の服装指導もなされたはずで、その最大の成功例が先に書いた仙台藩であった、ということになる。

べつに見てきたわけではないけれど、こうした江戸の町というのは人類史上最高のファッション・タウンであったと思われる。人口の半数を占める武士がそのようであるなら、自然に町人たちのレベルも向上する。江戸の町は呉服屋だらけで、それらの大手は今日も同じ看板を掲げた百貨店として存続している。創業三百年のブティックがあちこちにある都市など、世界中のどこにも他に例があるまい。

江戸ッ子のミエッ張りというものは、こうした風土の必然の結果であろう。以前にも書いたが、私の生家などはこの典型で、なにしろ物心ついたとたんから、お勉強しなさいなどという不粋な説教は聞いたためしがなかった。登校前の朝の儀式は祖父母による服装点検であった。ちょっとでも気に入らなければ、「おまい、見端《ミバ》が悪い」と叱られてパンツからはき直しである。

まさかと思われるであろうが、パンツからのはき直しは本当なのである。すべて最初からやり直せ、という躾であった。

その祖父母は、家から一歩でも出るときは必ず「よそいき」に着替えた。夕食のおかずを買いに出るときも、タバコを買いに行くにしてもきちんと着替えるのである。ということは朝から晩まで、まるで芝居の楽屋のように家族みんなが着替えてばかりいる忙《せわ》しい家であった。江戸ッ子のミエ、ここに極まれりというところであろうか。

ただし今から思い返してみると、祖父母のファッション感覚はけっして値段ではなかった。清潔感とセンスである。汚れやシワがないかどうか、色柄が適切であるかどうかという点にのみ着眼していたような気がする。おそらく江戸前の粋というのは、それに尽きるのであろう。

父母もまた祖父母に輪をかけたようなミエッ張りで、伜《せがれ》が小説家になってからも作品の出来映えなどはどうでもよく、服装の批評ばかりをしていた。

考えてみれば祖父母は、二百六十五年も続いた江戸文化の正統の後継者たる明治人であった。人類史上最高のファッション・タウンの申し子であったのだから、口やかましくて当然である。

今日、海外の高級ブランド品がかくも隆盛を極めている基礎には、私たち日本人のもともとの高度なファッション・レベルがあるのだろうと思う。それはそれで大したものなのだが、江戸前のダンディズムにそぐわぬ点は、清潔感とセンスをさしおいてブランド・ネームと値段が一人歩きしているというところではあるまいか。

どこそこのブランドを身につけている、あるいはいくらの値段の品物を持っている、という言い方は、江戸ッ子の間ではたちまち「下衆」と呼ばれて軽蔑《けいべつ》された。そうした基準のファッション・センスは、江戸ッ子にはありえぬのである。

むろん私も下衆の譏《そし》りを覚悟でしばしばブランド品を買うが、その理由はひとえに、あれこれ迷う手間が省けるからに過ぎない。買物に時間をかけられぬ人にとって、特定のデザイナーのセンスに頼ることは名案であると言える。この考え方は下衆ではないと思うのだが、祖父母に言わせればたぶん「横着者」であろう。時間がないだの手間が省けるだのという理由で、そこいらにあるものをひょいと着るのが、横着者である。

そういうてめえで言うのも何だが、どうもこのごろの東京は、ご先祖様のセンスをぶち壊す下衆と横着者だらけになってしまったようである。

(『MAQUIA』二〇〇八年二月号)

白銀の記憶

今でもしばしば雪山を颯爽《さっそう》と滑り下りる夢を見る。若い時分はそれくらいスキーに夢中だった。たいそうミスマッチに思う読者もおられるだろうが、本当である。

初めてスキー板をはいたのは中学一年の冬で、当時の貸スキー板といえば厚くて重いナラ材、ストックは竹、靴はたちまち水びたしになるゴム製で、むろんセーフティ・ビンディングなど付いていない固定式であった。

ゲレンデにたどり着くまでがまた大変である。今日では車が主流であろうが、その当時は自家用車そのものが少く、スキーバスはあるにはあったが肝心の高速道路がないので、よほど時間に余裕のあるときでなければ使えなかった。

いきおい東京オリンピックがもたらした高度経済成長とスポーツブームの結果、急増したスキー客は上野駅へと殺到した。

週休二日制など夢のまた夢、つまり土曜日の夕方に上野駅を出て、日曜の夜に帰らねばならない。とりわけ一般的な日程は「夜行半泊」と呼ばれ、夜十一時台の上越線「準急」に乗って現地に深夜二時か三時に到着、民宿で一泊ならぬ半泊し、あくる一日を滑って帰る、という強行軍であった。

労働条件と交通事情により、週末のスキーはこんな方法しかなかったのである。むろん上越沿線以外のスキー場は休暇をとらねば無理だった。

この上野発のスキー列車は旧国鉄のドル箱であったろうと思う。なにしろ夕方からプラットホームに人が集まり始め、夜行列車が入線するころには、ゼッタイ乗り切れるはずはないと誰もが思うくらいの大混雑になっていた。その群衆の多くが重くて厚い木製のスキー板を持って、ズックのリュックサックを担いでいるのだからなおさらである。

「スキーエッジやストックの先端には十分ご注意下さい」

というのがお定《き》まりの構内放送であった。つまりゲレンデにたどり着く前に、上野駅のホームで怪我《けが》をするのである。

そんな具合であるから、整列乗車などあるわけはない。しかも乗客はそうまでしてスキーに行きたい連中ばかりなので、列車の到着と同時に大混乱となった。窓から乗るのは反則だが、スキー板や荷物を入れるのは可とされていたので、まっさきにデッキから飛び乗るのは身軽な若者だった。先発のひとりが窓をはね上げて荷物を担ぎ入れ、座席を確保するのである。

発車のベルが鳴るころには、通路も座席の間も、吹きさらしのデッキもトイレの中もぎっしりと人で埋まった。網棚の上に寝ている豪傑もいた。

やはり地球は温《ぬく》まっているのであろうか、当時は今よりもずっと雪が多かったような気がする。

水上《みなかみ》あたりはもう深い雪の中で、国境の長いトンネルを抜けると、列車は雪景色も見えぬ純白の壁の中を走った。

むろんスキーリフトはあった。ただし二人乗りが登場するのは後年のことで、すべてのリフトは一人掛け、旧式のものは背もたれも足置きもないただの腰かけだった。スピードも遅い。少し吹けば止まる。谷間の吹き上がりで長い時間リフトが止まってしまうと、このまま凍死するのではないかと思った。

往路の列車内ですでにクタクタ、藁葺屋根《わらぶきやね》の民宿のいろり端で雑魚寝《ざこね》の仮眠をとり、長蛇の列のリフトに乗って、その日のうちにまた満員列車で帰ってくるというのだから、昔の若者はタフだった。

こういうスキー行の場合は、技量に合ったゲレンデなど選べない。すいている朝のうちにともかくリフトを乗り継いでてっぺんまで登り、上手も下手《へた》もそこで滑るのがスキーを楽しむコツであった。で、最後の一本が麓《ふもと》までのロングコースである。

そんなわけで、中学一年の私も初めてスキーをはき、歩き方も教わらぬうちに、あるうことか石打《いしうち》スキー場の当時の最高地点、大丸山《だいまるやま》のカベまで運ばれてしまった。

スキーというものは、まあ何と怖くて難しいものだと思った。かえすがえすも、昔の若者はタフである。

おかげでそれからずいぶん上達した。その間に世の中はめざましく進化し、高速道路も新幹線も、ペンションも四人乗りの高速リフトもできた。

私は三十までゲレンデに通い、その後はしばらくごぶさたして、四十からまたぽつぽつと始めたのだが、このところはどうにも体力の限界を覚え、というより転んで怪我でもしたら困るという情けない理由から、遠ざかることすでに十年である。

人間は頭で覚えたことはじきに忘れるが、体で覚えたことは忘れない。だから今でもたぶん大丸山や黒菱《くろびし》のカベを颯爽と滑り下りるとは思うのだけれど、万が一の情けない心配をするということそのものが、すでにタフなスキーヤーではない。

今年こそ、と思いはしても、たぶん周囲は猛反対するだろう。白銀の記憶は、夢の中にとどめていたほうがよさそうである。

（『MAQUIA』二〇〇八年三月号）

読書をする猿

読むことが好きで書くようになった。

小説家を志した動機といえばそれに尽きる。読書熱が昂《こう》じて、とうとう書物を作ってしまったわけである。食いしんぼうが厨房《ちゅうぼう》に立ったといえば、いっそうわかりやすいであろう。

つまり私の仕事の母は読書であるから、原稿に追われて自由な読書時間が削られると、不幸と不孝を同時に感ずる。思うさま本が読めなければ苛立《いらだ》つ。そんなとき読みさしのページを開けば、まるで赤ん坊が乳を与えられたようにおとなしくなるのだから、まことに単純である。好きな形容ではないが、たぶんこういう人間を「活字中毒者」というのであろう。一見多趣味のようでありながら、実は読み書き以外にほとんど趣味はなく、生活から読み書きを奪われでもしたら、とたんに死ぬほかはないと思われる。

いや、小説家になった動機からすると、書けなくなっても生きている。だが読めなくなったらまちがいなく死ぬ。

そんなわけであるから、今節一種の社会問題となっている「読書ばなれ」など、私にはてんで理解できない。読むか読まぬかではなく、読まずに生きていられることが信じられないのである。

さて、そうした私にとっての至福は、何ものにも妨げられずに読書をする日々である。読みつくせぬくらいの書物をどっさり抱えて山間《やまあい》の温泉場にこもる。テレビの旅番組ではないのだから、食事や部屋はどうでもいい。あたりに名所などないほうがいい。むろん連れなどはもってのほかである。天然の景色と、湯と、書物があればいい。もし三日間の完全な自由が与えられたなら、私は今この瞬間からでも書物を抱えて旅に出る。

ここまでお読みになった方の多くは、小説家という職業の特殊性を感じたのではあるまいか。貴重な余暇と、非日常の旅と、今や反社会的娯楽になってしまった読書を、むりやり結びつけているように感じた方もいるはずである。

しかしよく考えてみれば、私たちは貴重なはずの余暇をいつの間に過ぎたかわからぬくらいに空費しており、非日常であるべき旅に日常をひきずっており、反社会的娯楽もなにも、子供のころに胸ときめかせてページを繰った読書の快楽を忘れてしまった。あんがい気付かざるそうした過ちを一挙に恢復する方法としては、すこぶる有効だと私は思うのだが、いかがなものであろう。

この旅から帰ると、あらふしぎ、何となく自分が大人になったような気がする。どこがどう変わったかと説明できるものでもないが、たとえばジムやエステや美容院から戻って鏡を見たときの、その百倍くらい変身したような感じであろうか。

この著しい効果をあえて分析すればこういうことになる。

まず一人旅のせいで、日ごろ頭を悩ましていた人間関係のしがらみから解放される。そもそも人間関係というものは、家族にしろ恋人にしろ職場の面々にしろ友人にしろ、あれこれ熟慮する間もなく現実が積み上げられていくから、ややこしくなるのである。つまり、すべてリセットされる。

次に、三日も温泉に浸かっていればお肌がつやつやになるのは当然である。ジムやエステや美容院の効果など、温泉に較べればものの数ではない。予算もまあ、それらの一回分が温泉宿の一泊分であろうか。

さらには、日ごろほとんど無縁の自然と親しんだ結果、活力が充満する。森林浴だのマイナスイオンだの、そういう身もフタもない分析はやめよう。人間の正体は猿であるから、コンクリートの猿山に住むのは本来の姿ではなく、山に住むべきなのである。

しかし猿は読書をしない。つまり人間とは、読書をする猿なのである。いまいましい群からひとり離れて、湯に浸かり、自然に抱かれ、読書三昧の日々を過ごすというのは、私たちの本質である動物性を恢復しつつ、人間的知性を増進させるという、すばらしく理に適った行動と言える。

かくしてこの旅から帰ると、あらふしぎ、何となく大人になっている。

ここで最大の問題といえば、多忙な生活の中で果たしてこんなことが可能かどうか、という現実的な制約であろう。しかし、これは私の憲法なのだが、あらゆる行為というものはできるかできぬかではなく、やるかやらぬかなのである。

猿は行為をなすにあたって、「できるかできぬか」と本能的に判断する。しかし人間は「やるかやらぬか」という意思の判定を下す。すなわち前者が野性であり後者が知性である。この知性の獲得によって、猿は二本足で立ち上がり、人間となった。

では、原稿も書きおえたことだし、これより書物を山と抱えて旅立つ。ごきげんよう。

（『ＭＡＱＵＩＡ』二〇〇七年六月号）

夜汽車

秋の深まるころ、北京から上海まで列車の旅をした。

いかにも遥かな鉄路という感じがするのだが、意外なことに所要時間は十三時間ばかりである。北京も上海も市内と空港は遠いから、そのタイム・ロスを差し引けばさほど不合理な移動方法ではない。

そもそも私は列車の旅が大好きなのである。移ろう景色をぼんやりと眺め、日が昏れれば読書をする。そうした甘やかな時間が好きだから、めったに眠ることがない。

ところがこのごろでは、飛行機と新幹線ばかりを利用するようになって、そうした鉄道の旅ならではの優雅な時間を奪われてしまった。そこで海外出張のときぐらいはこの喪われた趣味を取り返そうと考え、しばしば列車の旅を織りこむのである。

今回の旅行目的は観光でも取材でもなかった。日本ペンクラブが毎年行っている日中文化交流のための訪問である。こうした公式行事は連日の饗応《きようおう》接待となるので、一晩ぐらいはゆっくりと寝台車で過ごそう、というのがこの旅程の本音であった。

なるほど北京駅から列車に乗りこんだとたん、ほっと気が抜けた。この、ほっとする瞬間というのも列車のもたらす福音《ふくいん》である。日常のしがらみからおさらばして、おのれを恢復する時間を鉄道の旅は必ず与えてくれる。

中国の長距離列車の座席は、「軟座車」と「硬座車」に区分されている。読んで字のごとしであるが、日本のグリーン車と一般車輛《しゃりょう》よりもずっと決定的な懸隔があるので、迷わず「軟座車」を選ぶべきである。料金はわが国の暴力的とも言える運賃に較べればたかが知れている。

私たちの座席はその「軟座車」の中でも、最も高級な二人用の個室であった。十分な広さの二段ベッドには清潔なシーツと掛け蒲団が用意され、ソファとテーブルのほかにトイレと洗面所までがついている。このうえ望むべくもないコンパートメントである。十三時間ではもったいない、という気がした。

中国の列車には世界各国の追随を許さぬ設備がある。むろん、食堂車である。中国人はともかく食べる楽しみをおろそかにしないので、これればかりは他国が真似《まね》のできるものではない。

厨房は街なかのレストランのそれのように広く、何人ものコックが中華鍋をふるっている。どうしてそんなことを知っているのかというと、十年ばかり前に初めて北京—瀋《しん》陽《よう》間の列車に乗ったとき、たまたま覗《のぞ》き見て仰天したからである。以来私は、同行者には必ずその光景を紹介することにしている。誰もがびっくりする。信じ難いことには、旧式車輛の厨房では火力を維持するために、石炭をくべているのである。こうした食に関するこだわりようには脱帽する。

メニューは豊富で味も格別なのだが、それでも中国人は「列車なのだから仕方がない」と言う。

思えば日本の列車からは、ほとんど食堂車が姿を消してしまった。国が狭いうえに速度が増すのだから当然のなりゆきではあるけれども、やはりひとつの文化の消滅であろうと思った。

旅というものの本質は、もともと目的地の観光ばかりではなかった。むしろいわゆる「道中」が旅そのものであったはずである。交通手段の合理化とともに、旅人はその本質たる部分を省略して、目的地における見聞のみを求めるようになってしまった。旅は本質的に変容したのである。

万事においてその経緯を省略し、結果のみを待望するというのは、旅のかたちのみならずわれら現代人の等しい習性となっているのではなかろうか。むろん、いいことではない。そう思えば文明の進歩を甘んじて享受しているわれわれは、あんがい知的退行をしているのではないかという気もしてくる。

それにしても、夜汽車の旅は久しぶりであった。

私が子供の時分には、遥かな旅といえば夜汽車と決まっていた。学生時代にスキーに行くにしても、上信越のゲレンデには深夜の上野駅から夜行列車で向かったものである。たいそうな時間と労力を費やしてはいたが、それらを徒労だと感じたためしはなかった。

若かったせいではあるまい。長い時間をかけて雪国に向かう夜汽車は、けっして徒労などではないロマンと思索の空間であった。文明のもたらした速度が与えたもの、また奪ったものについて、われわれは考え直してみる必要があると思った。

中国の列車は茫漠《ぼうばく》たる大地を走り続ける。しかも夜汽車の窓に映るものは、その涯《は》てなき大地すらも被いつくす闇と、見えざるものを見つめるおのれの顔ばかりである。

（『ＭＡＱＵＩＡ』二〇〇六年二月号）

私のパリ

ヨーロッパを旅するときは、とりあえずいったんパリに入るというのが私の流儀である。そしてまた帰路もパリに戻って一泊か二泊しなければ、なぜか旅が終わらない。

むろんかつては目的と日程に合わせてさまざまのルートをたどっていたのだが、経験を重ねるうちに結局この方法が最も合理的だと気付いた。

いつも原稿締切の合い間を縫う器用な旅であるから、事前に正確な旅程が組めない。また原稿を無事書き上げて出発したとしても、数日後にはファックスのやりとりでゲラ校正をせねばならず、急な問題が生ずることもままあるので、ずっと行方不明というわけにはいかない。小説家という特殊な職業に慣れぬうちは、世間並の計画を立ててずいぶんトラブルを引き起こしたものだった。

つまり、そのようにまったくこっちの都合で旅をしなければならないから、便数の多い都市に飛んでいったん腰を落ち着け、追いかけてくる電話やファックスを処理するのである。帰途にも同様の一日か二日を準備しておけば、へんてこな文章や誤字が読者の目に触れることはない。

そこで、いわば日本における日常とヨーロッパにおける非日常の中間にある場所が、どうしても必要になった。便数の多さからすると、これはロンドンかパリである。しかしロンドンのヒースロー空港はむやみに広くて乗り継ぎにも手間取るうえ、9・11以後は通関や搭乗時の検査がすこぶる厳重になった。その点、パリのシャルル・ド・ゴール空港は使い勝手がいい。なおかつパリを旅の起点とすれば、空路ばかりでなく車や鉄道で自在に移動することもできる。

かくしていつの間にか、パリは私のヨーロッパ旅行の玄関となった。毎度のことになれば友人もでき、常宿も定まるのでいよいよ居心地がよくなる。とうとう今では、ロンドンに仕事があってもパリからの通勤である。

ところで、私がパリを愛着するもうひとつの理由がある。

かつてたまたま宿泊したホテルのフロントで職業を訊ねられ、「小説家《エクリヴァン》」と答えたところ、支配人が現れて丁重なもてなしを受けた。ホテルの歴史解説やら調度品の説明やら、あげくに部屋をアップ・グレードしてもらったうえ、ディナーに招待していただいた。

はて、このホテルはよほど商売熱心なのか、さもなくば旅行雑誌に何か書かねばならぬのかと首をかしげたが、べつだん他意はなかったらしい。つまり、フランスという文化国家の、パリという文化都市では、「小説家」はどうやら特別な人らしいのである。

以来、私はパリがいっそう好きになった。むろん個人的にいい気分になったわけではない。社会における文化や芸術の重要性を知っている彼らに、心から敬意を抱いた。

アメリカで尊敬されるのは金持ちである。日本で有難がられるのは芸能人である。だがフランスという国は学者や芸術家や、そのほか広義でいうところの文化人を、財力や知名度とはもっぱら関係なく大切に扱ってくれる。

それはおそらく、誰が言い出したわけでもなく誰に教えられたわけでもない、フランス人の自然な感情なのであろう。人間は獣のように争い戦うのではなく、人間らしく豊かに和やかに生きるものだという信念が、何よりも文化を大切にするフランス人の国民性にもなっている。

ヴィクトル・ユゴーの死は全フランス国民の悲しみとして国葬とされ、その棺《ひつぎ》は凱旋《がいせん》門《もん》を通った。つまり彼は、フランス国民にとってナポレオン・ボナパルトと同様の英雄だったのである。

獣性を否定し、人間性を追求する。それが人類の正しい志向であるとするなら、キリスト教普遍主義にこの先とってかわるものは、人類の多年の叡智《えいち》の結晶たる学問や芸術にほかならないと、フランス人は確信しているのであろう。

季節にかかわらず、パリの街を吹き抜けている清冽《せいれつ》な風——まるで山間の清水のようにおいしいあの空気の正体は、その思想そのものなのだろうと私は思う。神から与えられたものではなく、その恵みを種子として人間が育《はぐく》んだ、平和の風である。

いつかパリを舞台にした小説を書きたいと考えていたのだが、根が生粋の江戸ッ子であるからなかなか切り口が見つからず、結局徹頭徹尾のお笑い小説『王妃の館』を上梓《じょうし》したのは二〇〇一年の夏であった。

二組の日本人ツアー客が、あろうことかパリの高級ホテルのゲストルームに、ダブル・ブッキングしてしまったという途方もない設定から物語が始まる。しかもストーリーは、現代とルイ十四世時代のダブル・ブッキングであるというのだから、聞いただけでは想像もつくまい。

小説のモデルにしたホテルは、私が常宿にしているヴォージュ広場のパヴィヨン・ドゥ・ラ・レーヌ（王妃の館）である。

脱稿後、しみじみ思ったのだが、パリはとうてい私の手には負えない。やはり仕事に疲れた体を、やさしく抱きしめてくれる街である。

（『ふらんす』二〇〇七年四月号）

ロンシャンの女

毎年のならいで、十月の第一週はパリで過ごす。

長いこと婦人服業界に身を置いていたので、パリコレともまんざら縁がないわけでもないが、小説家になってからは同じ時期の凱旋門賞に通い始めた。

凱旋門賞とは、パリ郊外のロンシャン競馬場で行われる、世界最高のレースである。

初めて凱旋門賞に行ったとき、寄り集う人々の優雅さに愕《おどろ》いた。招待客の男性は、シルクハットにテールコートが正装である。女性は華やかなドレスに、必ずご自慢の帽子を冠《かむ》る。むろん全員がそうした身なりではないが、ともかくそれぞれが思う存分のおしゃれをして、ゲスト・エリアの芝生に集っていた。

私はその日、女性の美しさについての私なりの考えを、まったく覆されてしまった。レースの記憶がほとんどないくらい、私はマダムばかりを見ていた。

婦人服業界での専門は、ミセスのプレタポルテである。いったいに日本人のミセス・ファッションというものは、「いかに若く見せるか」が永遠不朽のテーマで、デザイナーもパタンナーも、むろん販売の現場も、誠実にそのテーマを追求している。根底にあるものは、「若さは美しく、老いは醜い」とするアメリカ的な考え方であろう。

ロンシャンの芝生で、それがみごとに覆ってしまった。若い娘に視線が向かないのである。

まず、年齢にふさわしからぬ若作りの女性がいない。若く見せようとするのではなく、それぞれの年齢を誇っているのである。そして齢なりに誇らしく装いをこらせば、女性の魅力は二十歳よりも三十歳が断然であり、三十歳よりも四十歳のほうがさらに美しく、五十代のマダムを見れば、もうそれ以下の女性には目が向かぬほど魅力的だった。

こうして年齢を引き合いに出すこと自体が、そもそも無意味なのかもしれない。おそらく彼女らは、自分の年齢をまったく意識せずに、今このときに最も美しく見える姿を演出しているのであろう。

そういう考え方でなければ、あれほど揃いも揃ったマダムが、いかに年に一度の凱旋門賞とはいえ一堂に会するはずはあるまい。

自分だけの知性と肉体を飾るおしゃれ。いわゆるセンスというものの正体はそれである。

ところで、多くの女性にとってはまことに意外な話であろうが、世の男どもは女性の年齢を、実はほとんど意識していない。鑑賞する美の対象としても、恋愛の相手としても、である。

若ければ若いほどいいという基準は、せいぜい二十代前半までで、三十を過ぎてもそんなことを言っている男は多少なりともロリコンの気味がある。

たしかに二十歳の女性の魅力は否定できないが、それは細胞活動の活発さのおかげで部分的に美しいというだけで、総合的な魅力においてすぐれているわけではない。すなわち女性に若さを要求する男は、ロリコンと言わぬまでも多分に近視眼的で、審美眼に劣っている、もしくは短絡的な感覚の持ち主であると言える。

つまるところ、大人の男は大人の女にしか魅力を感じぬのである。そう考えるとやはり、「いかに若く見せるか」というテーマは誤りであろうと思う。

ロンシャンといっても、みながみなおしゃれをしているわけではない。ヨーロッパの競馬場は伝統的な社交の場であるから、観戦スタンドのヒエラルキーによって身なりも異なる。社交場たる一部分を除いては、日本の競馬場と変わらぬカジュアルなファンが犇《ひしめ》いている。

おそらくその昔は、スタンドの全体が社交場だったのであろう。世の中のしくみが公平になったのか、それとも人間が身なりにかまわなくなったのか、こと競馬場に限らず社会全体がカジュアルになったような気がする。

パリの街もその例に洩れず、年を追うごとにふだん着の外出が多くなったように見えるが、それでもここ一番の凱旋門賞のロンシャン競馬場に、ズラリと魅力あるマダムが揃うのは、さすがこの街の底力である。

たとえば凱旋門賞のあくる日、サンジェルマンのマルシェですれちがったとしても、きのうのマダムだとは気付くまい。それでいいのである。日常のカジュアルと、非日常のソシアルがきっぱりと分かたれていて、いざというときに別人のごとく変身することが、装いの楽しみだろうと思う。

ぜひいちど、十月のロンシャンを訪ねていただきたい。今までそうと信じてきた常識が、きっと覆る。

（『MAQUIA』二〇〇四年十一月号）

お買物天国

ラスベガスは知る人ぞ知る買いだおれの町である。

私は年に何度も、満を持して同地に飛ぶ。むろん必ず敗《ま》けるギャンブルに満を持すことなどできるはずはないが、ショッピングはかなり計画的に狙《ねら》い撃つ。ちなみに「満を持す」とは、弓を満月のごとく引きしぼって狙い定めることである。

事前に「お買物予定表」なるものも作成する。どこそこの店のどれ、というふうに獲物をあらかじめ決めておくのである。パリでもニューヨークでもそうした計画までは立てないのだが、それくらいラスベガスのショッピングには気合が入る。

店舗の数と密度は、断然の世界一であろう。およそないものはないと言ってもよく、そのうえ季節に関係なくやたらとバーゲンをやっている。そうした状況下で望みの品を無事にゲットするためには、行きあたりばったりではなく、事前の計画性が必要となる。

しかも、ショッピング・タウンとしての規模が大きすぎるから、「ひと回りしてからまたこよう」という考えが通用せず、一期一会《いちごいちえ》の決断を余儀なくされる。よほど的を定めていなければ、三日や四日の滞在期間など、ただウロウロするうちに過ぎてしまう。

　メンズの買物でもそうした有様なのだから、それに数倍する女性物は相当の覚悟が必要ということになる。わかりやすく言えば、全館バーゲンセール中の新宿伊勢丹が、五十軒ぐらい並んでいると思えばいい。懐具合というより、気合に欠ける客は泣くことになるのである。

　最も有名なアーケードは、シーザース・パレス内の「フォーラム・ショップス」で、ローマのたそがれどきを演出した道筋に、百店舗以上の名だたるブランド・ショップが並ぶ。この一カ所だけでも、その密度と品揃えは世界一かもしれない。

　そのほか、ラスベガス・ブールヴァードに面した巨大リゾート・ホテルの多くに、いくつものショッピング街がある。営業時間はほとんどが夜の十一時まで、週末は深夜十二時まで開いている。

　これだけでもすべて回るのには数日がかりだが、このほど大増築された「ファッションショー」は、二百以上のブティックに「サックス・フィフス・アベニュー」「ロビンソンズ・メイ」「ニーマン・マーカス」「メーシーズ」といったファッション・デパートが同居しているという化物で、これだけでも一日がかりであろう。今さら思い出したくもないが、私はこの五月にここのコール・ハーンのバーゲンで、サイズが合わずに痛恨の涙を呑《の》んだ。小足の悲劇であった。

さらに、ダウンタウンや郊外にはいくつものアウトレットがある。どれも百から二百の店舗を備えていて、一年中ディスカウントであるから、掘出し物を探す向きは迷わずこちらに走ったほうがいい。

ただ困ったことに、ラスベガスは砂漠の中の人工都市であるから、真冬の一時期を除けば灼熱《しやくねつ》地獄となる。空気はカラカラに乾燥しているので、「暑い」というより「熱い」もしくは「痛い」という感覚である。だから大荷物を提げてブールヴァードを歩き回るのは禁忌で、その点からしても事前にガイドブックを精査して効率よく動かねばならない。

買物に際して言葉の心配はいらない。主なブランド・ショップにはたいてい日本人か、日本語を解するスタッフがいるし、いない店でも懇切丁寧に応対してくれる。ラスベガスは「ノー」と言わないホスピタリティあふれる町なのである。

ところで、私はべつにネバダ州観光局の回し者ではない。ひとりのショッピング・マニアとして、また長くアパレル業界に身を置いた者として、このお買物天国を心からお勧めするのである。

食料品や日用品はちまちまと買うに越したことはないが、おしゃれのための買物はその行為自体が楽しいものでなければならない。生きてゆくためにどうしても必要なものを買うわけではないのだから、買う物よりも買い方に意味がある。それがショッピングの醍醐味《だいごみ》である。

私はこの楽しみのために、日ごろは倹約を心がけ、長駆ラスベガスに飛んで大爆発をする。そのぶん気合も入っており、計画にも怠りはないから、帰国しておそるおそる荷ほどきをしても、後悔することはまずない。毎度高々と大漁旗を掲げる気分である。

今回の収穫はコール・ハーンの仇討《あだう》ちに三十パーセントオフでゲットしたバリーが二足。年甲斐《としがい》もないエンポリオ・アルマーニのジーンズと、アメリカン・カジュアルのもろもろ。やや欲求不満なのは、シルク・ド・ソレイユのショーを四つも観てしまった結果であった。まずはお試しあれ。

（『ＭＡＱＵＩＡ』二〇〇五年九月号）

ホテル・フラミンゴにて

「日本の女性は、ひとめでそうとわかるね」

彼は時流に逆らってこのごろ覚えたシガーの煙に目を細めながら、そんなことを言った。

「へえ。で、ジャジメントの方法は?」

「華奢《きゃしゃ》で小さいのは、コリアンもチャイニーズも同じだが、ジャパニーズは猫背で前かがみに歩く。まるで何か悪いことでもしているみたいに」

ショーンはホテル・フラミンゴの名物ピアニストだった。だった、というのはつい先ごろ、彼が三十年もピアノを弾いていたホテルのバーが、チャイニーズ・レストランに改装されてしまったからだ。

「僕が齢をとったんじゃなくて、フラミンゴが齢をとったんだ」

ホテル・フラミンゴは、かのベンジャミン・〝バグジー〟・シーゲルが建てた老舗《しにせ》カジノである。今日のラスベガスの繁栄は、一九四六年にモハベ砂漠のただなかに突如出現した、このスーパー・リゾートから始まった。

カジノに通ずるプロムナードは、大きなガラス窓ごしにフラミンゴとペンギンが遊び、いつもショーンのピアノが聴こえていた。

「僕がキャバレロに似ているんじゃなくて、キャバレロが僕の真似をしたのさ」

これもまた、老ピアニストの口癖だった。

バーがなくなってしまってからも、ショーンは一日のうちの何時間かを、プロムナードのソファで過ごしている。バーボンを運んでくる孫のようなカクテル・ガールには、ギャンブラーよりいくらか多めの、二ドルのチップを手渡す。そして、「君がベガスのナンバー・ワンだね」と、一言を添える。彼のおかげで、ホテル・フラミンゴのカジノには百人の〝ミス・ラスベガス〟が、颯爽と歩き回っている。

ショーンは三十年の間、ピアノごしに行きかう世界中の女性を眺め続けてきたのだった。

「ガードマンがしばしば日本人の女性にパスポートの提示を要求するのは、こそこそした歩き方が怪しげに見えるからさ。きっと彼女たちは、ハッピーな誤解をしているだろうけれど」

カジノのゲーミングは、二十一歳以上と定められている。つまりガードマンからＩＤの提示を求められた日本人は、自分が二十歳未満に見られたという、幸福な誤解をするのである。日本人女性がおしなべて若く見えるのはたしかだが、どうやら実情はそういうことであるらしい。

常に誇らしく自己主張をすることが、一種の社会的モラルとされているアメリカでは、まるで人目を憚《はばか》るように背を丸めていること自体、十分怪しげに見えるのであろう。ましてや小さな体に持て余すショッピング・バッグのネームは、アメリカの常識ではほとんど若い女性とは縁のない超高級ブランドである。

「ほら、見てごらん」

と、ショーンはプロムナードの先からやってくる二人連れのゲストに目を向けた。

なるほど、言われてみれば一目瞭然である。アウトレットの帰りであろうか、ショルダーバッグを肩から斜めにかけ、両手にお買物袋を提げて猫背の早足で歩いてくる二人の女性は、いかにも「日本人」という判が捺《お》してあるようだった。

「ええと、つまり慎ましいということが日本人女性の美徳とされていて——」

と、私は懸命の弁護をしたのだが、そもそも「慎ましい」という日本語を正確に表現する英語が見当たらなかった。〝modest〟も〝quiet〟も、やはり日本的な美徳としての「慎ましさ」とはちとちがう。

要するに日本は狭くて人間が多いから、モデストかつクワイエットに歩く癖がついているのだろうと、ショーンは妙な納得をした。これはハズレではないにしても、ご名答というわけではない。

何も女性に限ったことではないのである。日本の社会では男も女も、過大な自己表現や突出した行動を破廉恥と考え、何ごとにおいても他人と同一もしくはそれ以下であることが美徳とされる。かくして外国人の目から見ると、「ひとめでそうとわかる」日本人ができ上がっているのである。

私はこうした日本人のモラルがけっして嫌いではないのだが、やはり目の前で彼女らを見送ると、まるで制服のようなブランド志向と猫背の歩き方は気になった。

これからは男も女も、胸を張って堂々と歩かねばなるまいと思った。

ショーンは日が昏れると、「レイク・ラスベガスのほとりのセリーヌ・ディオンのご近所に買った」という家に帰る。ジョークにはちがいないのだが、言われてみればプロムナードを去って行く後ろ姿が、それなりの紳士に見えるのだから大したものである。

余談ではあるけれどこの老ピアニストは、拙著『オー・マイ・ガアッ!』にそっくりそのまま登場していただいた。むろんご本人は知る由もないが。

(『MAQUIA』二〇〇五年一月号)

42番街の奇跡

ニューヨークの常宿はプラザのパーク・ヴューである。

設備も古く、必ずしも住みごこちのいいホテルではないのだが、毎朝目が覚めたとき窓いっぱいに拡《ひろ》がる、セントラル・パークの景観はかけがえがない。ことに晩秋から冬にかけて、豊かな木々が黄色に染まる季節は美しい。

しかし、季節のいつに限らず週末の朝はいただけない。夜明けと同時に、健康病のニューヨーカーたちが大河の流れのごとく公園を群れ走るのである。広いジョギングコースが一方通行になるくらいだから、その数たるやまさに無数といえる。

足音と呼吸が、得体の知れぬエネルギーとなってプラザの窓にまで届く。いったい何ごとかとはね起きて、初めてその風景を目にしたときには、開いた口が塞《ふさ》がらなかった。

日本の週末の朝は、みんなが朝寝をしているので静かなのだが、アメリカ人は平日よりさらに早起きをして体を鍛えるのである。

何でもこの十年の間に、アメリカ人の平均体重は四・五キロも増え、おかげで飛行機の燃料代が年間三億ドルも余計にかかっているそうだ。

かねがねふしぎに思っていることがある。

アメリカ人はともかくとして、日本人はなぜやみくもに痩《や》せようとするのであろう。しかもその方法のアメリカ人と異なる点は、摂取カロリーの消費ではなく、徹底的な食事制限である。私の目から見るとすでに痩せすぎの女性が、なおかつ旨《うま》い物も食わずに痩せようとする姿は、病的で強迫的で、痛ましい感じがする。

枯木のように痩せた女が好みという男は、めったにいない。たぶん世の男の十人中九人までは、ポッチャリした女性が好きである。つまり男どもから見れば、やみくもな女性の痩身《そうしん》志向はみずから魅力を損なっているとしか思えない。

と、この持論を口にすると女性は必ず反論する。

「何も男に見せるために痩せるわけじゃないわよ」

では女に見せるためかというと、まさかそうではあるまい。すなわち、客観に耐えるためではなく、主観的に納得ゆくまで痩身するという意味であろうけれど、健康上の理由ならばともかくとして、鏡の前に立ったとたん美的主観は客観となるのだから、この論理は自家撞着《じかどうちゃく》も甚《はなは》だしい。

やはり世の女性は、病的もしくは一種の社会的な強迫観念によって、やみくもに痩せようとしているのではないかと、私には思えてならないのである。

だいたいからして女性美の基準などというものは、すこぶるあやふやである。たとえば正倉院御物《しょうそういんぎょぶつ》の「鳥《とり》毛立女《げりゅうじょの》屛風《びょうぶ》」に描かれた天平《てんぴょう》の典型的美女は、今日の美的基準でいうならただのデブである。ミロのヴィーナスに見る古代ギリシアの理想的プロポーションを、今日めざす女性はまさかいまい。

近代においても、鹿鳴館の舞踏会では胴長短足がローブ・デコルテを最もあでやかに着こなす体型とされており、少くともつい数十年前までは、痩身が美しいといわれる基準は世界中のどこにもなかった。そうした意味で、オードリー・ヘップバーンという女優は、そのプロポーションだけでも異色だったのである。

ミュージカルの名作『フォーティセカンド・ストリート』は一九八〇年の初演だが、当時の女性美にはすでにそぐわぬグラマラスな女優をずらりと起用して話題となった。そもそもこの舞台は、一九三三年に公開されたミュージカル映画のリメイクであるから、時代風俗を忠実に再現すると痩せた女は不要だったのである。『フォーティセカンド・ストリート』は今もブロードウェイで大人気だが、観るたびに役者は替わっても、みな古き良きアメリカを感じさせるグラマーばかりで、これはつまり女優たちが懸命の逆ダイエットをして舞台に立つからであろう。彼女らの美しさは、まさに42番街《フォーティセカンド・ストリート》の奇跡である。

私は痩せすぎの日本人女性には魅力を感じない。かと言って、筋骨隆々たるアメリカ人女性には魅力を感ずるどころか辟易《へきえき》する。

その容姿を見ただけでたちまち恋に落ちるような女性が、このごろは少くなってしまった。たぶん世界中の男性のほとんどは、同じ思いを抱いていることであろう。たしかに女の美しさは男のためにあるわけではないが、多少はその憧《あこが》れを満たしてほしいと思う。

週末の夜、私はプラザを出てブロードウェイに足を向ける。今や『フォーティセカンド・ストリート』の舞台にしかいない、ふくよかで美しい一九三三年の踊子たちに会うために。

（『ＭＡＱＵＩＡ』二〇〇五年二月号）

おすすめのサマー・リゾート

あんまり甘いエッセイばかり書いていると、リアリストの読者に叱られそうな気がするので、今回はサマー・バカンスのとっておき情報を公開しよう。私家版のリゾート・ベスト3である。

だいたいからして、ガイドブックとかインターネットには、うまいことしか書いていない。人の噂《うわさ》もさほどアテにならぬことは、海外リゾートを何度も体験している方はすでにご承知であろう。その点、以下はリゾート・マニアをひそかに自負する私のおすすめであるから、信用していただいてよい。

●ベスト1「ラ・マムーニア」

モロッコはマラケシュの、知る人ぞ知るリゾート・ホテルである。かのウィンストン・チャーチルが、カイロ会談の帰りにアメリカ大統領ルーズベルトを、「世界一美しいところに連れて行ってやろう」と誘った、そのホテルがここ。ヒチコックもしばしば訪れてシナリオを書いていた。七十余年の歴史を経たイスラムの意匠の美しさといったら、まず世界に比類あるまい。広大な敷地の割には客室が少く、敷居が高いので見学に訪れる人もいない。マムーニアに泊まらずしてホテルの薀蓄《うんちく》を語ってはならぬとさえ、私は思うのである。

ただし、いかんせんモロッコは遠い。そこで、もう少し近場を望む方には――

●ベスト2「バンヤン・トゥリー」

プーケット島バン・タオ・ビーチのスーパー・リゾートである。南国のラグーンを囲むようにして、外界と隔絶されたプール付のヴィラが点在する。愛する人とひそかに訪れるならば、まずこの上はなかろう。とりわけ漆黒《しっこく》の闇の中に篝火《かがりび》と蠟燭《ろうそく》だけが灯《とも》る夜の美しさといったら、まことこの世のものとは思えない。

前出のマラケシュにも、プーケットにも、リゾートの雄アンダマンがあるのだが、それを超えるという基準からしても、この両者はおすすめである。ただしプーケットはさる大津波のあと、どうなっているのかは知らない。

これもちょっと高そう、と思われる向きには――

●ベスト3「レイク・ラスベガス」

おまえはネバダ州観光局の回し者か、と言われるくらい、私はあちこちでベガスの魅力を語っているが、実はかの街にも喧噪《けんそう》とは無縁のリゾートがある。ベガス・ストリップから東へ十七マイル、満々と水をたたえたレイク・ラスベガスのほとりに、ロウズ・レイク・ラスベガス、リッツ・カールトンの二つのホテルがあり、アメリカン・セレブの隠れ家になっている。

ロウズ・レイク・ラスベガスは、『アメリカン・スウィートハート』の舞台となったホテルといえば、肯かれる方も多いだろう。ちなみに私は、ジュリア・ロバーツをちっともいいとは思わないが、キャサリン・ゼタ＝ジョーンズには首ったけ。

一方のリッツ・カールトンはイタリアン・モダンの豪華ホテルで、二軒はすぐ近くだからハシゴをする手もある。いずれにせよラスベガスの基準に従って料金が思いがけなく安く、退屈もしないというのがおすすめの理由である。

日本にはサマー・バカンスの楽しみというものが、いまだ正しく根付いてはいない。お盆休みの慣習に呪縛されているのである。むろん帰郷もお墓参りも大切なことだが、これだけ国内の交通網が整備されたのだから、それはそれとして済ませ、年に一度の贅沢をするというのが人間らしい生き方ではあるまいか。

また、家族揃ってのサマー・バカンスという東洋的発想もいただけない。子供をゾロゾロ連れてのバカンスなど、世のおとうさんにとっては疲れこそすれ少しも休養にはならず、また母国の風物すらよく知らぬ子供を海外に連れ出したところで、見聞を広めたことになるはずもない。

やはり家族ならば子供抜きの夫婦で、あるいは恋人同士で、気のおけぬ友人で、さらなる理想は独り旅で、というのが正しいサマー・バカンスの過ごし方であろうと思う。

すなわち、私が先に挙げたスーパー・リゾートは、そうした正しいバカンスを過ごす人々が世界中から集まる場所なのである。だからホスピタリティや設備や、各種アミューズメントが充実しているなどという当たり前の理由ではなく、どこもゆったりとしていて子供の姿など見当たらず、日々の労働や家事に疲れた心と体を、芯から癒《いや》すことができるのである。

こんだけ頑張ってるんだから、ちっとも贅沢じゃないよ。行ってらっしゃい。

（『ＭＡＱＵＩＡ』二〇〇六年九月号）

第三章
ことばについて

Homme et Femme　オム・エ・ファム

近ごろ「女」という言葉を不用意に口にすると、周囲の顰蹙《ひんしゅく》を買う。文字に書くとなればなおさらである。

マスコミにおいても「女」は規制の対象であるらしく、アナウンサーはことごとく「女性」と言う。ただし、おかしなことに犯罪者については対象外で、たとえば「犯人は三十二歳の女で」とアナウンサーは言い、「犯人は三十二歳の女性で」とは言わない。つまり、いつの間にか「女」は「悪い女」と同義語になってしまった。

私は「女性」という呼称があまり好きではない。口にするだけでも気恥ずかしいのである。この気恥ずかしさを正確に言うと、「男が女に媚《こ》びるという不道徳の象徴的表現」ということになる。やたらと耳につく「女性」に、一種の猥褻感《わいせつかん》すら抱《いだ》くのはひとり私だけであろうか。

思うに、「女」という古来の呼称を卑語と断定して「女性」に変換しようとするのは、男の女に対する潜在的蔑視《べっし》と、女自身の潜在的コンプレックスの証明に他なるまい。なぜなら今日でも、「女」を「女性」と呼ばねばならぬように、「男」を「男性」と呼ぶ必要はさほどないからである。

私の感覚からすると、「男性」という呼称は断じて許しがたい。たとえば、あまり言われたことはないけれど、「素敵な男性ね」などと褒められたところでちっとも嬉《うれ》しくはない。それを言うならやはり、「いい男ね」であろう。これは嘘《うそ》でも嬉しい。要するに「男性」という呼び方には、丁寧語である以前にフォーマルの偽善を感じるのである。

したがって私はみずからの感覚を信じて、女の容姿を褒める際にはけっして「素敵な女性だね」などとは言わず、「いい女だな」と言う。しかし、後者のほうが嬉しいに決まっているにもかかわらず、私がしばしばセクハラオヤジの譏《そし》りを受けるのは、大切な個人の感覚が社会の感覚に呑《の》みこまれた結果であろう。

ところで、「女」と「女性」についてこういう考察はどうであろうか。

「男」と「女」というみごとな対義語に較べて、英語の〝man〟と〝woman〟の関係はすこぶるいかがわしい。詳しい語源は知らないが、明らかに〝woman〟は〝man〟の属語である。

アメリカではとうにこのことは問題視されていたらしく、われわれが学校で習ったこの当たり前の単語は、対句《ついく》としては近ごろとんと見られなくなった。「男性」と「女性」ならば〝male〟と〝female〟であろうが、むろんこれもただ丁寧なだけでいかがわしさには変わりがない。しかし〝man〟と〝woman〟よりはいくらかマシだろうというわけで、公的な表現にはこれが用いられるようになった。

アメリカの常識はほとんど強制的に日本の常識として採用される。かくしてわが国においては全然必要のないはずの、「女」の排斥運動が起こったのではなかろうか。

どうも日本固有の文化を破壊する元凶は、テレビを主とするメディアにあるらしい。もしかしたら占領軍の残置部隊のようなものがあって、メディアを通じて日本のアメリカ化を推進しているのではないかとさえ疑われる。

ここまで書いてもし私が近いうちに変死したなら、ＣＩＡの仕業である。


そもそも「女」を卑語とする理由は、たとえば情婦や妾《めかけ》や娼婦《しょうふ》を、通有的に「女」と男の口が称した誤りによるものと思われる。つまりそうした女と一緒くたにされてはたまらぬという女性側の論理、もしくは一緒くたにしてはかわいそうだという男の蔑視によって、「女」は「女性」という公的用語に変換されたのであろう。この理屈からすれば、男には男として差別される存在の歴史がないのだから、必ずしも「男性」と呼ぶ必要がないことになり、「女性」の対句としてのみ「男性」と称されることになる。

つまるところ、「女」の排斥こそが差別である。

補足するに、私はさらりと書いた情婦や妾や娼婦も、女が同じ女として否定すべき存在ではないと思う。もし法に触れぬ人間を同じ人間が忌避できるとするなら、その対象は合法的に人殺しのできうる、軍人だけであろう。

その軍人すらも、「男」としての矜持《きょうじ》は他の男にまして強く抱いているのであるから、世の「女」たちが「女」と称することの矜《ほこ》りを忘れるのは、やはり誤りであろうと思う。

かにかくに語る私は、フェミニストである。われわれが古くから用いてきた「男」と「女」は、フランス語の〝homme〟と〝femme〟同様に美しい。

（『ＭＡＱＵＩＡ』二〇〇四年十二月号）

丸文字の起源

私は小説家という個人事業主なので、経費とおぼしき支出に際してはいちいち領収書を発行してもらわねばならない。

税理士の指導により、レシートは原則として不可、いわゆる「上様」名義も不可と心得ている。ノート一冊買うにしても「浅田」という姓を告げて、お店の人に記入してもらう。

そのこと自体はさして面倒ではないのだが、「浅田です。深い浅いの浅にタンボの田」と言っても、その「浅」が書けぬ店員があんがい多いのにはさすがに苛立《いらだ》つ。まことに信じ難い話だが、およそ五人に一人は「深い浅いの浅」が通じぬ。さらに五人に一人は、書くには書いても「浅」の字のどこか一画が足らぬ。

どうやら日本人は日本語を書くことを忘れてしまったらしい。そのくせパソコンや携帯メールでは、とっくに死滅してしまったはずの難字が頻出する。一例を挙げれば「綺麗」などという漢字だが、文学的には半世紀も前に消えたはずのこうした字が、機械によって復活するというのは妙な話である。むろん手で書けと言われても、書ける人は稀《まれ》であろう。

そうこう考えると、今どき万年筆で原稿用紙の枡目《ますめ》をセッセと埋めている自分が悲しくもなる。

何年か前にこんなことがあった。

締切原稿を抱えて海外に飛び、機内ではうっかり寝てしまったので、チェック・イン待ちのホテルのロビーで原稿用紙を開いた。ふと頭をもたげると、周囲に人垣ができていた。つまり私は時差まで計算しながら懸命に書いていたのだが、切迫した事情を知らぬアメリカ人は、テーブルの上に拡《ひろ》げた原稿用紙に縦の文字を書き綴《つづ》る東洋人を見て、ストリート・パフォーマンスだと思ったらしい。

今や中国語も韓国語も、印刷物はほとんど横書きになった。縦書きを堅持しているのは日本だけと言ってもよかろうから、その姿はよほど珍しかったのであろう。「見せ物ではありません。締切です」と説明を加えるだけの英語力がないのはつらかった。

ところで、新聞も書物も縦書きを堅持しているわが国だが、書くとなれば断然横書きが多くなった。たとえば落掌する書簡を分類してみても、縦書きのお手紙は概《おおむ》ねご年配の読者からのファンレターか、古風な編集者からのものと決まっている。むろんパソコンを使用した手紙はすべて横書きとなる。

読むときはタテ、書くときはヨコ、という不整合が起こっているのである。この分でいくと、時勢の赴くところ、いずれは新聞も小説もすべて横書きになるのかと思えば、たいそう暗い気分になる。

もっとも、日本語を横に書くようになったのはパソコンのせいではない。学校で使用するノートが、国語科を除きほとんど横書きなのだから仕方がない。アルファベットや数字を使う科目は、横書きでなければノートに取りようがないのである。そこで高等教育が普及すればするほど、国民は横書きの日本語に馴致《じゅんち》された、というところが真相であろう。

必然的な経緯ではあるが、横書きの不具合に気付いている人は少い。日本語はそもそも漢字も平仮名も、縦に続くようできているのである。漢字と仮名で構成している限り、実は横書きは書法的にありえず、すなわち「昔の人は横書きを右から書いた」というのは誤解で、「一字一行の縦書き」が正しい。

漢字も平仮名も必ず筆先を下に抜いて、次の字の一画に繋《つな》ぐ。ところが横書きでは、繋ぐべき場所に文字がないので、いちいち筆先を結ばねばならない。これが知られざる横書きの不具合である。

そこで、高等教育が普及した私たちの世代から、このストレスを解決するための新しい筆記法が自然発生した。いわゆる「丸文字」である。下に抜くべき筆先をいちいち止めねばならぬとなれば、文字の相互の流れを考えずに一字を具象的に完結する方法が理に適《かな》っており、なるほどこの「丸文字」は本来日本語にはありえぬ横書きを、巧みに実現した書法とも言えるのである。

しかし、やはり美しくはない。日本語の書体はあくまで漢字と平仮名の混成であるから、縦に淀《よど》みなく流れてこそ美しく整うのである。つまり早い話が、横書きをしている間はけっして字が上手にならない。

幸い私は、学校のノートなどほとんど取ることなく、原稿用紙に小説ばかり書いていたので、丸文字を覚えることがなかった。縦書きの書物ばかり読んできたので、横書きの書類や手紙は読む速度も遅い。したがってどんどん世の流れから取り残されていくような気がするのだが、いやしくも日本語の読み書きを生業《なりわい》とする小説家なのだから、それも仕方あるまいと思う。

話し言葉は時代とともに変化して当然である。しかし、しゃべるばかりで書くことを忘れてはなるまい。正しい読み書きの土台があってこそ、話し言葉は文化として許容されるからである。

母なる国の言葉を、こうして原稿用紙に書くのは実に気持ちがいい。まるで新雪の山を滑り下りる気分である。この快感がたまらなくて、小説家になったような気がする。

日本語は縦に書こう。

（『MAQUIA』二〇〇八年七月号）

日本語の未来

私が子供のころ、東京の小学校で「ねさよ運動」なるものが実施された。東京方言の特徴である「ね」「さ」「よ」等の語尾を、使わないようにしようという運動である。

わかりやすく言うなら、たとえば本稿冒頭の部分を東京方言でしゃべるとすると、

「俺が子供のころによ、東京の小学校でね、ねさよ運動ってのがさ、実施されたんだぜ」

という具合になるのだが、つまりそれらの語尾は下品だから廃止しようというわけである。

小学生のことだから、教師の指導に苦言を呈する者はない。そこで懸命に「ねさよ運動」なるものを実践しようとするのだが、これがまた難しい。何しろ生まれついて、言葉の切れ目には必ず「ね」「さ」「よ」「ぜ」等の語尾を付けているので、それらを取り去るとてんでリズムが合わないのである。

小学校はいわゆる「山の手」の中野にあったが、日常会話の「ねさよ」には山の手も下町もないのである。「ぜ」はどちらかというと下町言葉に属するが、深川からの戦災難民である私の家ではもっぱらふつうに使用されていた。

そもそも東京の山の手言葉を標準語とする根拠は怪しい。明治以来、東京は勢いよく西に向かって延びたから、山の手の定義が難しいのである。つまり級友たちのほとんどは、人口増加の結果西に移動した家か、関東大震災と戦災によって下町からやってきた難民の家か、あるいは下町以上に東京方言を温存する「原多摩人」の家の子なのだから、使用する言葉にはさほど下町だの山の手だのという境界はなかった。

生まれついての言葉を改めるのは実に難しい。子供らも往生したが教師たちも疑問は感じていたとみえて、職員室での議論を何かの拍子に耳にしたことがあった。

「ぜ」と「よ」は改めたほうがいいが、「ね」と「さ」はこのままでいいのではないか、と提起した教員の意見を、なぜかはっきりと記憶している。おそらく自分でも然《しか》りと思ったからであろう。

要するにこの運動には当初から無理があった。そのうち結果を見ることなく立ち消えになってしまったのは、けだし当然というべきであろう。私たちは大切な言葉を失わずにすんだ。

今にして思えば噴飯ものである。昭和三十年代なかばのことであろうか、戦後ひといきついたそのころには、「助け合い運動」とか「小さな親切運動」とか、社会がこぞって善行をなそうという妙なブームで、この「ねさよ運動」もその一環であったのかもしれぬが、だとしても文部省だか教育委員会だかの見識を疑う。

かくして運動は挫折したが、その後の私はというと、日常会話では祖父母から享《う》け継いだ江戸弁を使い、テレビ出演や講演会の壇上ではきちんと標準語をしゃべっている。言葉を矯正する必要などはないのである。


この幼児体験と関係があるのかどうか、私は人がとやかく言う若者たちの言葉がけっして嫌いではない。街角や電車の中で彼らの会話に耳を傾けていると、文句をつけるどころかその独創性と感受性の豊かさ鋭さに、感心することしきりである。少くとも私たち全共闘世代の、理屈っぽくて感傷的な言葉づかいよりもずっとすぐれていると思う。巷間《こうかん》言われるように、日本語が破壊されているとは思わない。世代には世代の言葉があって当然であり、それはいわば世代の文化であるから、前世代の常識が否定をする権利はあるまい。何千年もかかって築き上げられてきた日本語が、今突然に破壊されようはずもなく、彼らもやがて社会の要請に応じて正しい日本語を使用するにちがいないからである。

むしろ若い時分に、それぞれの世代の独創的な言語社会を持っていなければ、日本語は時代とともに痩《や》せてしまう。伝統の言語に多少なりとも世代の言葉を加味してこそ、母国語は歴史の流れとともにゆったりと変化し、力を失うことがないのだと私は信ずる。そうした意味から考えれば、「ねさよ運動」なる言語の矯正は、伝統を破壊し、言語の自然な成育を妨げようとした愚行というべきであろう。

いつの世にも、平和である限り若者たちはきちんと学問を積んでいる。その事実は信ずるべきである。

むしろ問題とするべきは、完成された言語能力を持っているはずの大人の世代が、容易に若者たちの言語を真似《まね》ることであろう。

親子が友人のようになり、職場でも世代間の遠慮がなくなり、男女の関係が同等になった結果、多くの人が「自分の話すべき正しい日本語」を失いつつあるように思われる。やや古い例かもしれぬが、いわゆる「語尾上げ体言止め」が若者たちの間に流行したとき、いいオヤジまでもがその言語を使い始めたことには呆《あき》れた。さきの理由により世代間の距離が縮まっているので、言葉は容易に伝染する。しかし、そもそも言葉というのは世代の風俗から自然発生するものであるから、風俗の基盤を持たぬオヤジが借り物の言語を口にすれば、それこそキモいのである。

世代の所有する言語は断じて守る。親子三代が一つ屋根の下で、てんでんばらばらな日本語をしゃべり、たがいを嘲《あざけ》り合うというのが正しい言語文化の姿であろう。「自分の使うべき正しい日本語」を頑固に守り、次の世代にバトンを繋いでいけば、母国語はそうそう破壊されることもなく自然に変化していくと思う。無形文化の伝承のコツというのは、これではなかろうか。

むしろ私が日本語の先行きについてすこぶる懸念しているのは、しゃべり方ではなく書き方である。さきにも述べたように、日本語を書くうえで、横書きはいただけない。同じ日本語でも、無形の会話は自然のなりゆきに任せるべきである。しかし有形の文字は伝統を墨守することが肝心だと思う。そのあたり、今日のかまびすしい日本語論は、いささか的をはずしているのではあるまいか。

（『今日から悠々』二〇〇六年春号）

万歳三唱

過日、自衛隊時代の同期生であるＦ曹長がいよいよ退官するというので、パーティに招かれた。

ううむ、それにしても軍隊のことを文章で書くのは難しい。「パーティ」はやはり禁句であろう。かと言って、案内状通りに「Ｆ曹長を送る夕べ」も何だか。さらには「定年」という言葉を使ってよいものかどうかも怪しい。正しくは定年退官後も予備自衛官としての籍は残るのだろうから、ここは「実役停年」という用語を使うべきであろう。つまり軍隊に限っては「定年」ではなく「停年」なのである。

まあ細かいことはともかくとして、Ｆ曹長は勤続三十五年、めでたく現役を退《ひ》くこととなった。ちなみに、自衛隊では階級によって定年が異なる。

入隊は同じ昭和四十六年の三月であるが、私は陸士長、すなわち旧軍でいう上等兵でさっさと満期除隊し、Ｆ君はその後、陸曹すなわち下士官となって、陸曹長すなわち陸軍曹長で定年を迎えた。それにしても、いちいち旧軍の呼称に変換せねば、いまだに世間に話が通じぬというのはどうしたことであろう。考えてみれば帝国陸軍七十年の歴史に較べて、自衛隊もはや六十年近い伝統がある。にもかかわらず、いちいち「旧軍でいえば」と付け加えなければ話が通じぬというところに、この紛《まご》うかたなき軍隊の悲劇性はあると私は思うのだが。

幸い、なぜか「准尉《じゅんい》」と「曹長」だけは旧軍も自衛隊も同じである。正式には「准陸尉」「陸曹長」だが、通常は「陸」の一字を省略して呼称とする。

「曹長」はものすごく偉い。これは旧軍でも同じだったであろうが、下士官の最高位たる曹長には、将校とはちがった基準の貫禄があって、ともかくものすごく尊敬されるのである。

ことにF曹長の温厚篤実な人柄と、端倪《たんげい》すべからざる軍歴とが相俟《あいま》って、この日参会した人々は現役将官から二等陸士に至るまで、およそ三百人にものぼった。きょうびこの会社のご重役の定年パーティでも、そうそうこれだけの人は集まらぬであろうから、これはF曹長の人徳である。

さて、宴もお開きの段になると、万歳三唱である。私が子供のころには、小学校の式典の際にも必ず行われていたこの「万歳三唱」が、世の中から消えてなくなってから幾久しい。ところがどっこい、ほかの官庁はどうか知らぬが、自衛隊ではまだ続いているのである。

壇上に上がったのはF曹長の直属上官に当たる、三等陸佐すなわち陸軍少佐の中隊長であった。むろん私たちよりずっと若い。

彼は壇上に立つなり、威儀を正して言った。

「これより甚《はなは》だ僭越《せんえつ》ながら、明治十二年太政官布告《だじょうかんふこく》に基づく、正しい万歳三唱を行います」

私は感動した。右でも左でもないが、私は日本の文化と伝統を愛している。一言で言うなら日本原理主義者である。

「着眼点を三つ挙げます。その一――」

明治十二年太政官布告に基づく正しい万歳三唱の着眼点とは、以下のごとくであった。
①真上に挙げた両の掌《てのひら》を、けっして正面に向けてはならない。「降参」の意思表示となるからである。すなわち、指をピンと伸ばして内側に向ける。
②挙手と同時に、右足を半歩踏み出す。
③気魄《きはく》をこめて万歳を唱え、すみやかに直立不動の姿勢に戻るや、つごう三度これをくり返す。
「では、F曹長の多年にわたるご健闘を祝し、併せて今後の弥栄《いやさか》を祈念して万歳三唱します。バンザーイ！」

会場には古色蒼然《こしょくそうぜん》たる万歳三唱の声が湧き起こった。

さて、ここで問題である。

太政官は、明治元年から明治十八年の内閣制発足まで設置されていた最高行政官庁である。その間に公布せられた法令を、太政官布告と呼ぶ。遠い昔の話ではあるけれども、この太政官布告は歴史を継続せる一国の法令である以上、日本国憲法に違反しない限り今日でも有効であろう。つまり、万歳三唱を禁ずる法律などはないのだから、私たちも万歳をするときは太政官布告に則《のっと》って、由緒正しくこれを行わねばならないことになる。

しかし、ちとおかしいと私は思った。

着眼点①については、現役当時にそう教えられた記憶がある。③の「気魄をこめる」は作法として当然であろうが、②の「右足半歩前」はまったくの初耳であった。

私が子供のころ、万歳三唱は年に何度もやった。だが細かな点をあれこれ指導された覚えはなく、少くとも、「右足半歩前」は聞いたことも見たこともない。

そこで、帰宅するやただちに書庫にこもって、蔵書をあれこれと調べてみた。あいにく太政官布告に関する当該資料はなかったが、万歳三唱のシーンを収めた古写真はいくつもあった。だが、やはり右足を踏み出して万歳をする人の姿は発見できなかった。

はて、どうしたことであろうと私は悩んだ。万歳三唱の作法を規定した太政官布告が、そもそもデマかギャグであると考えるのは簡単である。しかし先にも述べたように、もしそのような布告が本当にあったとするなら、日本国憲法に違反しない限り今日でも有効であるはずなのだから、私たちはずっと「太政官布告違反」の重罪を犯し続けてきたことになる。

もしやその後、「万歳三唱の様式に関する太政官布告の訂正」なる法律ができたのではないか、と私は疑った。右足を半歩前に出すという姿勢は、着物を着た女性にとっては好もしからぬであろう。だとすると、婦人解放運動たけなわの大正期に、そうした訂正があったとしてもふしぎではない。

などとさまざま思いめぐらしているうちに、何だか万歳三唱という儀式そのものが、切なく思えてきた。

国旗や国歌の存在意義についても議論がかわされる昨今なのだから、正しい作法どころか万歳三唱そのものが、歴史の遺物として葬り去られても仕方なかろう。たぶん私からいくつか若い人は、公式な場における万歳三唱をしたことがないはずである。

もともと中国から移入された習慣なのだし、さほど文化の喪失とまでは思えぬのだが。

だが――私はふと、F曹長と山野を駆けめぐった若き日を思い出した。自衛官になり手などいなかった安保騒動のあのころ、私たちは何の因果か一兵卒として、つらい訓練に明けくれていた。世界に類を見ない、名誉なき兵士である。演習で敵陣を陥《おと》せば、銃をかざして万歳を三唱するのが、旧陸軍から変わらぬ私たち歩兵の伝統であった。

私はさっさと除隊したが、戦友は三十五年間もその勲《いさお》しなき軍隊にとどまっていた。

そう思うと、老兵が涙した最後の万歳三唱を歴史の遺物として忘れ去ることが、私にはどうしてもできないのである。

（『今日から悠々』二〇〇六年夏号）

読書人

「読書人」の本来の意味は、「読書をする人」ではなく「読み書きのできる人」である。もっと正確にいうなら、「科挙《かきょ》に合格して官途についた人」すなわち「士大夫《したいふ》」と同義である。

漢語が抜群の表現力を持つ世界最高の言語であることは言を俟《ま》たないが、あまりにも高度に完成されてしまったがゆえに、難しすぎて識字率が低く、十分に読み書きのできる人はそれだけでエリートとされ、「読書人」と呼ばれて尊敬を集めた。

そもそも科挙という官吏登用制度は、門地《もんち》にかかわらず広く人材を求めて皇帝直属の官僚団を組織し、貴族勢力に対抗させようとするアイデアが起源となっている。ところが、学問をするためにはそれなりの環境が必要であるから、実はさほど公平な制度ではなく、貴族の子弟や地方郷紳《きょうしん》層の恵まれた子供らが、結局は役人になる。すると下々から見れば、「読書人」ははなから封建社会における「偉い人」、つまり支配階層を意味する結果となった。

遥か隋《ずい》代に始まり、一九〇五年の廃止に至るまで千三百年間の長い歴史がありながら、科挙が公平な人材登用制度とはなりえず、封建社会をつき崩すことができなかった理由はこれである。中国には国民生活の現実を知る政治家が、その間ずっと出現しえなかった。

同じ封建社会であっても、かつての日本はよほどましであろう。たとえば豊臣秀吉のように、卑賤《ひせん》の出自であってもチャンスを得て登用されるという例はいくらでもあった。ことに幕藩体制が安定してからは、庶民教育が充実されるほどに、数は少いながらも実力次第で出世を果たす道は開けた。

両国のこのちがいはいったい何であろうと考えれば、二つの理由を思いつく。

ひとつは中国語と日本語の、決定的な難易度の差である。中国語は漢字という表意文字、それも「表意」というほど単純ではない、一文字に一つの世界を包摂《ほうせつ》するような漢字の集合によって文章を構成する。これの読み書きを達成するためには、幼時から英才教育が不可欠であり、むろん不断の努力を続けなければならない。それに較べれば、カナという表音文字に必要な分だけの漢字を組み合わせた日本語は、読み書きに習熟するにしても遥かに簡単であり、しかも話し言葉と書き言葉の境界が、中国語ほど明確にあるわけではない。

もうひとつの理由は、国土のかたちのちがいであろう。

中国は巨大で、平坦《へいたん》である。教育を施すにしても国民は広く分布しているので、集合させることもままならぬし、共通語を見出《みいだ》すことすら難しい。

その点、日本は国土が狭いうえにほとんどが人の住めぬ山岳であるから、地域の施政者がその気になれば均等な教育を人々に与えることが可能であった。しかも江戸時代の中央集権体制の完成によって、江戸の知識は均等に全国に配分された。参勤交代制のもたらした大きな福音《ふくいん》と言えよう。

この二つの理由により、おそらく日本は江戸時代以降、世界一の識字率を誇る文化国家となりえたし、一方の中国はその人口比からすれば、すこぶる識字率の低い国であったはずである。

むろん、中国が日本より劣った国であるという意味ではない。科挙によって選抜され、なおかつ生涯を勉学に励まねばならぬ中国の読書人の、綜合的《そうごうてき》教養の高さといったらとうてい日本人知識層の及ぶところではなかった。

つまり日本の教育システムは、元来が広汎で公平な社会主義的なそれであり、中国は少数精鋭の飛び抜けた叡智《えいち》が社会を牽引《けんいん》していくという本質を、伝統的に持っているのである。

このごろ取材のために中国に渡る機会がしばしばあり、また日本ペンクラブの交流事業などで、当地の文学者と対話をすることも多い。そのつど、学者や作家のみなさんの教養度の高さには舌を巻く。科挙は百年前に廃止されたはずだが、中国の知識人というのは今日もなお、「読書人」すなわち「士大夫」の教養と威風とを感じさせるのである。

さて、冒頭の一行に立ち返って、「読書人」を「読み書きのできる人」と定義する。

日本は昔も今も、世界一の読書人大国である。明治維新からほんのわずかの間に欧州列強に比肩する国家となりえたのも、第二次大戦後に奇跡の復興をとげたのも、最大の原因は国民のほとんどが十分に読み書きできるという、いわゆる民度の高さにあろうと私は思う。

一八六八年から一八八五年の内閣成立までの十七年の間、国民が遵守《じゅんしゅ》すべき旨が「太政官布告」という法令により公布されたことは、以前にも書いた。全国民が整斉《せいせい》としてこれに順《したが》うことができたのは、その「太政官布告」なる文言《もんごん》を、誰もがきちんと読み取ることができたからであろう。

また、それから六十年後に訪れた国家の災厄に際しても、人々は新聞の活字を通してすべてを理解した。国民は総力をあげて世界と戦ったけれども、その同じ国民がやはり総力をあげて復興をなしえたのだと思えば、やはり日本の実力の源は大和魂《やまとだましい》ではなく、世界一の民度にこそあるのだろう。つまり、平易で精密な日本語の実力、それを広く伝授した教育の成果、そして何よりも狭い地域に国民が集中して生きる、この国土の姿である。

その「言葉」と「教え」と「国のかたち」が、すなわちわれわれの「ふるさと」なのだという認識さえ持てば、愛国心も君が代も日の丸も、何も要らない。

二百年も前から国民のほとんどが「読書人」であった国など、世界に類を見るまい。その伝統は今日まで続いているから、かくも書物に満たされているのである。都市のあちこちに一千坪の書店が林立する国など、地球上のどこにもなく、図書館の充実度もまた世界一であることは疑いようがない。だから私は、たとえ読書という行為の衰退が世界の風潮であるとしても、日本にだけはあってはならないと思うのである。すべてが「読書人」であるという矜りさえ捨てなければ、われわれは中国人からもアメリカ人からも、必ず尊敬される。

そうこう思う私は、世間から笑われつつも原稿用紙と万年筆をいまだに手放すことができず、今日もこうしてすこぶる非合理的な執筆を続けている。また、さらに非合理的なことには、いまだ幼時からの習慣で一日一冊の読書を欠かすことができない。

こんなことをしていたら周囲に迷惑もかけるし、後進からは追い抜かれるであろうし、いずれ体も壊すにちがいないとは思うのだが、どうしても「読書人」の聖火を捨てることができぬのである。


（『今日から悠々』二〇〇六年秋号）

「礼」とは何か

「礼」とは社会を維持していくための、生活規範の総称である。

辞書を繙《ひもと》けばおよそそういうことになるのだが、今日の世の中では「お辞儀」「儀礼」「お礼」という程度の意味に集約されてしまっているように思える。

私は長いことこの「礼」の真意について考え続けてきた。儒教の徳目とするものはどれも普遍的で合理的で、現代社会の道徳にきちんと合致するのに、どうもこの「礼」だけが古くさい形式主義に思えてならなかったからである。

そこでようやくこのごろ、「礼」とは「法」が成立する以前の「社会秩序を維持していくための生活規範」であることに思い至った。

法律とは国家権力による強制であるから、そうした確たる権威の不在であった古代社会、もしくは権力は存在しても法律そのものが未整備であった時代には、おのおのが「礼」によって自己を律していかなければ社会秩序を維持していくことができなかった。

つまり時代が古ければ古いほど、社会は「法」によって統制できずに、個人の心がけである「礼」に頼っていたのである。

たとえば『史記』の「太史公自序」にこんな言葉がある。

礼は未然の前《さき》に禁じ、法は已然《いぜん》の後《のち》に施す。法の用を為《な》す所の者は見易《みやす》くして、礼の禁を為す所の者は知り難し。

礼はことが起こる前に自己もしくは周辺社会がそれを禁ずるためのものであり、法律はことがすでに起こってしまってから適用されるものである。法を用いるべき者はわかりやすいが、礼が禁ずる者はなかなか知り難い。と、そういう意味になる。

さても二千年前の社会では、「礼」と「法」の関係はこうしたものであったのだが、はたしてこの言を古代社会の姿とばかり考えてよいものだろうか。

長い歴史の間に法律は少しずつ整備され蓄積されて、私たちはさほど「礼」のお世話にならなくてもよさそうな法治国家の国民として生活している。「法」さえ犯さなければ罰せられることはない。すなわち「礼」は、「お辞儀」「儀礼」「お礼」というような、小さな意味に後退したのである。

しかし、「法」は完成したわけではない。おそらく医学が完成して人間が永遠の生命を得る日がやってきたとしても、「法」が完成を見ることはないであろう。すなわち

「礼」を忘れてはなるまい。
「法」はいつまでたっても未整備にはちがいないのだから、この機能に依存して「礼」を忘れてはなるまい。

にもかかわらず、「礼」は退行を続けるのである。先の『史記』の言に順えば、現代に生きるわれわれは未然の前に禁ずることを忘れて、已然の後に施される法律のみを社会の規範としてしまっている。「法さえ犯さなければ罰せられることはない」という誤った社会感覚の中に生きている。

思えば私もかつて自衛官であったころ、「法」の定めに順って「敬礼」をしており、その行為の本来の意味である尊敬の念を、受礼者や国旗や国歌に捧《ささ》げていたわけではなかった。つまり「法」を守り「礼」を失していたのである。

法律は全能ではなく、「礼」を失した者を罰するための補助装置でなければならない。それが法治国家の正しいありかたであろう。

『春秋左氏伝』に曰《いわ》く、「礼は国の幹《かん》なり」と。

まさに至言である。

（『翼』二〇〇七年十一月号）

第四章

星と口笛

星と口笛

星を見ながら口笛を吹く癖がある。

幼いころ、躾《しつけ》の厳しかった祖母に口笛を吹くことを禁じられていた。下品であるし、ましてや夜の口笛は泥棒の合図なのだそうだ。その祖母が死ぬと、私の家は支柱が折れたように壊れてしまった。父は破産し、家族は離散した。

私は星を見ながら口笛を吹き始めた。引き取られた遠縁の家は武蔵野《むさしの》の雑木林と芝畑に囲まれていて、空が大きかった。都会生まれの私はたちまちその星空に魅せられ、夜が更ければしばしば家を抜け出して芝畑に寝転んだ。

叱られぬから口笛を吹いたわけではなかった。九歳の私は叱責を懐かしんでいた。星を見ながら口笛を吹いていれば、死んでしまった祖母やどこかに消えてしまった父母が目の前に現れて、私を叱ってくれるのではないかとひそかに願っていた。

以来、星に願ったためしはない。幼い私は、おのれのほかに恃《たの》むべき人や神のこの世にないことを思い知った。

夜空にちりばめられた星々は、賑《にぎ》やかに親和しているように見えるのだが、実はそれぞれが幾万光年を隔てた孤高の天体であることを私は知っていた。

口笛はちがう意思を持った。下品な青年たちのように淋《さび》しさを紛らわすためではなく、泥棒が仲間に送る合図でもなく、ましてや今さら叶《かな》わぬ平安を呼び戻すためのものではないとすると、口笛を吹く理由はひとつだけだった。みずからの尊厳を宇宙に向かって主張する手だてを、私はほかに知らなかった。

だからいまだに、星を見ながら口笛を吹く癖は直らない。

もし人間が何ごとかを星に願うとするなら、それは「星の如《ごと》くありたし」という誓いのほかはなかろうと私は思う。

誓わずに願うことを「わがまま」という。子供のころならいざ知らず、大人になってからもわがままを言い続けていたのでは、何ひとつ思うところは実現するまい。貧しかった昔の人は、たぶんこのあたりをきちんとわきまえていた。ところが世の中がすっかり豊かになって、さほどの努力をしなくても公平に社会の恩恵に浴することができるから、われわれは誓わずに願うようになった。これは堕落である。

困ったことには、社会に依存するばかりか、周囲の人々さえもみな社会の一員であると錯誤して、あたりかまわず他人に依存心を抱《いだ》く人間が多くなった。こうなると堕落は個人のみにとどまらず、個人の集合体である学校も会社も、家庭も国家もみな堕落する。私たちが生きている社会の本質とは、今やそうしたものであろうかと思う。

日は短く星は昴《すばる》
以《もっ》て仲冬《ちゅうとう》を正す

芝畑から起き上がって歩み出した私は、やがて『書経』の「堯典《ぎょうてん》」にあるこの言葉に憧《あこが》れた。

星は潔癖である。星は孤高である。私の好きな夜空の星々の姿を、これほど端的に正確に言い表している言葉はなかった。

「スバル」は外来語のように思えるが、実はかの『枕草子《まくらのそうし》』に書かれているごとく、れっきとした和名である。その語源は多くの星々が集まる「すまる」であるとも、天空を「統《す》べる」という意味であるとも、また天照大神《あまてらすおおみかみ》が身につけていた「みすまるの珠《たま》」にちなむとも言われるが、定かではない。

漢名は二十八宿中の昴星《マオシン》。一般には牡牛座《おうしざ》のプレアデス星団として知られる。

冬の夜、オリオンの三つ星を指でたどっていけば、昴を見つけることはたやすい。視力の良い人なら、それが六個の星の集合であることも見分けられる。ために古来「六連《むつら》星《ぼし》」とも呼ばれた。ただしその正体は地球から四百光年の彼方《かなた》、望遠鏡で約百二十個の恒星の集合が確認されているひとつの宇宙である。

願わずに誓い続けて歩めば、星を見失うことはない。やがて人間としてはかなり長い歳月ののちに、憧れの昴をモチーフとした小説が、私の願いを叶えてくれた。

若い時分にはきっぱりと六つを算《かぞ》えることができた昴も、このごろでは朧《おぼろ》げなひとつの光にしか見えなくなってしまったが、私は今も読み書きに疲れれば書斎から抜け出して、星を見ながら口笛を吹く。

パソコンなどなかった時代に、小説家になるためには字が上手でなければなるまいと思いこんで、書道を独習した。

天地玄黄　　天は玄《くろ》く地は黄いろ
宇宙洪荒　　宇宙は洪《ひろ》く荒《はて》しない

おませだった私は、かつて科挙《かきょ》をめざした中国の子供らと同じ「千字文《せんじもん》」を習字の手本とした。これはその千字の冒頭を飾る聯《れん》である。

星と口笛さえあれば、金も恋人も友も、水も駱駝《らくだ》も靴さえも、何もいらない。


（『ＭＡＱＵＩＡ』二〇〇六年八月号）

正月の記憶

私の生家は古風な商家だった。

暮になると、住み込みの店員も女中もみな里に帰ってしまう。そのかわり一年じゅう妾宅《しょうたく》を渡り歩いていた父が、ひょっこり帰ってきた。

つまり大晦日《おおみそか》と正月の三カ日だけ、祖父母と父母と兄と私の、正常な家族のかたちになるのである。そのことだけでも、私にとっての正月は特別な意味を持っていた。

もともとは明治維新で落魄《らくはく》した侍の家であるから、奇妙な行事がたくさん残っていたのだが、あらかたは忘れてしまった。唯一ありありと記憶しているのは、祖母のおはぐろである。

祖母は暮のうちに日本髪を結い、大晦日の晩にはどこからか古ぼけた道具箱や蒔絵《まきえ》のたらいを持ち出してきて、歯を真っ黒に染めた。

昭和三十年代前半の話だとしても、よほど大時代な習慣であったにちがいない。私は祖母のほかに、おはぐろを塗った女の顔を知らなかった。しかし江戸時代から百年も経ってはいなかったのだと思えば、明治三十年生まれの祖母が正月に限ってその伝統の化粧を復活させるのは、べつだん酔狂というほどでもあるまい。

「おはぐろ」という言葉は使っていなかったように思う。おはぐろを塗ることは「カネを引く」と言った。のちになって知ったのだが、おはぐろは「お歯黒」のほかに「鉄漿」とも書く。「カネ」とはつまり「鉄」のことであったらしい。

ともかく私は、芝居でも映画でもなく、実生活の中に存在したおはぐろの、最後の目撃者ではあるまいか。

物の本によれば、鉄片を茶か酢の中に浸して酸化させた液に、付子《ふし》と呼ばれる怪しげな粉を混ぜて歯に塗りつけるらしい。何でもこの付子というのは、ヌルデの若葉や若芽に昆虫が寄生して作った瘤《こぶ》であるそうな。

何だかわけがわからんが、余り体にいいとは思えない。祖母は着物の片肌を脱いで、手鏡を覗《のぞ》きながらその液でていねいに歯を染めた。

ひどい悪臭がしたように思う。私は口と鼻をおさえて見入り、祖母もその悪臭に耐えかねてか、しきりに蒔絵のたらいの中に唾《つば》を吐いた。

——おまい、まったく妙な子だね。見てて面白いかい。

祖母はそんなことを言った。たしかに近所の子供らは、おはぐろを塗った祖母の顔を見るなりみな怖がって逃げ出した。

怖いといえば怖いのだが、それ以上に私は美しいと思っていた。祖母に連れられてしばしば芝居を観に行っていたせいかもしれない。日本髪を結った祖母が、おはぐろをさして歌舞伎の女形《おやま》にみるみる変わっていくさまを、うっとりと見つめていたのだろう。子供心にも、女の人が着物を着て髪を結い上げれば、仕上げはやはりおはぐろだったのである。怖いけどきれい。幼い私は適当な表現を知らなかったが、妖艶《ようえん》という言葉が最もふさわしかったと思う。

当時の正月がどのように過ぎたかは記憶にない。たぶん大晦日は夜更かしして、近所の神社に初詣《はつもうで》をし、元日は寝て過ごしたのであろう。二日はお年賀という習慣があって、やたらと人の出入りが多く騒々しい一日であったと思う。三日には使用人たちも里からのみやげを提げて帰ってきて、それを肴《さかな》に酒盛りが始まった。

そして四日には仕事が始まり、父は妾宅に戻り、祖父は袴《はかま》を脱ぎ、祖母は髪を解《ほど》いてもとの白い歯に返った。いつに変わらぬ日常が、きっぱりと始まったような気がする。

このように忘れかけた記憶の断片をつなぎ合わせてみると、昔の正月はずいぶんと節度のある、折目正しい、潔い数日間であったように思える。街も三カ日はしんと静まり返っており、四日からは常に変わらぬ一年が始まった。

祖母はほどなく喉頭癌《こうとうがん》を患って自慢の声を失ったが、亡くなる間際まで医者に行こうとはしなかった。芝居見物は「先代萩《せんだいはぎ》」が最後だった。ふだんは三階の大向こうなのに、その日に限って一階の西桟敷《にしさじき》に席をとった。

六世歌右衛門《うたえもん》は祖母の贔屓《ひいき》だった。彼の扮《ふん》する政岡が花道をしずしずと行くとき、私は声の出せぬ祖母にかわって、「大成駒《おおなりこま》ッ！」と声をかけた。そんな呼び方があったのかどうか、祖母に教えられたままを私は大声で叫んで、満場の笑いを買った。この出来事の記憶だけはなぜか鮮明であったから、『霞町物語』の中の短篇《たんぺん》に書いておいた。

やがて祖母も亡くなり家も潰《つい》え、世の中からは潔い正月も絶えてしまったけれど、私は折にふれて、濡羽色《ぬればいろ》の黒髪を高く結い上げ、鉄漿《かね》を引いた口元をほころばせる明治の女の顔を思い出す。

盆や正月ばかりではなく、たとえば人前で恥じもせず手鏡を覗きこむ女の姿を目にするたび、祖母の凜《りん》とした居ずまいが瞼《まぶた》にうかぶのである。

（『ＭＡＱＵＩＡ』二〇〇七年二月号）

政岡の微笑

物心ついたころから祖母に連れられて、しばしば歌舞伎を観に行った。
なにしろ「先代萩」ひとつを考えてみても、歌右衛門の政岡、幸四郎の仁木弾正《にっきだんじょう》、勘三郎の細川勝元、三津五郎の渡辺外記《わたなべげき》という配役でたしかに観ているのだから、およそ五十年ごしの歌舞伎ファンということになる。むろんそれらの役者は、シャレではないがみな「先代」である。

そうした私には「歌舞伎」という言い方がまずなじめない。「芝居」といえば「歌舞伎」のことであり、正しくは発音も「しばや」である。

祖母は私が小学校三年生のときに亡くなるまで、毎月のように歌舞伎座に連れて行ってくれた。そのつど平日に学校を休ませるのだから、今にして思えば大した教育を授けられたものである。私の小説に最も影響を与えたものといえば、その後に親しんだどのような文学にも増して、幼い目に焼きつけた舞台の絢爛《けんらん》と台詞《せりふ》であるように思える。

「どうして梅幸が七代目じゃいけないのかねえ」

というのが、耳にタコのできるほど聞かされた祖母の独りごとであった。贔屓の梅幸が菊五郎の大名跡《だいみようせき》を継がぬことが、よほど不満であったらしい。

当代の七世菊五郎は、その梅幸の子である。

晩年の祖母は喉頭癌に冒されて、艶《つや》のある自慢の声がしわがれてしまった。

さきの「先代萩」は、たぶん祖母が観た最後の芝居だったのではあるまいか。私は幼な心にその不穏を感じ取っており、だから配役まではっきりと記憶しているのではなかろうかと思う。その後も「先代萩」はくり返し観ているのに、どうにもその日の舞台ばかりを覚えているのである。

私たちの定席《じようせき》はいつも三階の大向こうであったのに、その日に限って祖母は西の桟敷を取っていた。花道を間近に観る、大名桟敷である。

そのころ私は、声の出ぬ祖母になりかわって掛け声をかけることを覚えていた。

「いいかい、おばあちゃんが膝《ひざ》を叩《たた》いたら、大成駒って言っておやり」

歌右衛門が登場すれば「成駒屋」の声が満場に飛び交うが、どうせなら「大成駒」と声をかけろ、というわけである。

当時はまだ四十代の若さであった六世中村歌右衛門に、「大成駒」の声がふさわしかったかどうかはわからない。もしかしたらその後しばしば聞くようになった「大成駒」を、初めて声に出したのは私だったのではあるまいか。

私は祖母に膝を叩かれて、すこぶる間のよい声を張り上げた。観客はみな私のほうを振り返り、そしてもし私の思いすごしでなければ、のちに稀代《きたい》の名女形と謳《うた》われることになる歌右衛門丈も、にっこりと笑い返してくれた。その笑顔がよほど嬉《うれ》しかったのか、祖母はそれからの舞台をろくに観ようともせずに、ずっとハンカチで目がしらをおさえていた。

気丈な祖母の涙を見たのは、後にも先にもそのいちどきりである。

この話は拙著『霞町物語』に収録されている「雛《ひな》の花」という短篇に書いた。いくぶん脚色はしたが、歌右衛門の扮する政岡の笑顔などは、ありのまま小説にした。

これほど芝居好きであるのに、歌舞伎そのものが素材となった小説は、この短篇ひとつきりである。日ごろから近しすぎて、とても小説にはできぬらしい。

たとえば『天切り松　闇がたり』のシリーズなどは、読む人が読めばまるで黙阿弥の引き写し、芝居小屋のお里丸出しであろうかと思う。

その『天切り松』を、今をときめく当代勘三郎丈がテレビドラマで演じて下さったことは、冥利《みょうり》に尽きると言うほかはなかった。打ち上げの席にお邪魔した折、祖母の話をお伝えすると、勘三郎丈も感慨深げであった。

「歌右衛門のおじさんなら、きっと笑い返して下すったでしょうね」

私の見まちがえではなかったのだと知ると、五十年来の胸のつかえがすとんと落ちたような気がした。

祖母は夏の終わりに死んだ。まだ夏休みのうちであったから、私は学校を休まずにすんだ。祖母の口調を借りれば、

「もう芝居道楽なんぞよして、たんと勉強しない」

という意味だったのであろうか。たんと勉強したかどうかは怪しいものだが、祖母の授けてくれた江戸前の美学が人生の糧《かて》となったことはたしかである。

かつて深川の鉄火芸者であったという祖母の死にぎわは、まるで一丁の柝《き》を聴くような、潔い幕引きであった。

（『ＭＡＱＵＩＡ』二〇〇七年八月号）

小僧さんの話

花のほころぶ季節になると、私の生家には何人もの小僧さんがやってきた。かれこれ半世紀も昔の話である。中学を卒業すれば都会に出て働くというのが当たり前の時代で、私の家はその集団就職の受け入れ先になっていた。

「新入社員」などという上等な言葉は聞いたこともない。幼い私ですら彼らを「小僧さん」と呼び、一年が経って新たな小僧さんがやってくると、呼び方も「若い衆《し》さん」に昇格した。全員がくりくりの丸坊主で中学の学生服を着ており、今の子供よりよほど体格も貧しかったから、「小僧さん」という名がいかにもぴったりだった。

父の経営するカメラの卸問屋は神田にあった。小川町《おがわまち》の交叉点《こうさてん》から大手町に向かう右側の、立派なビルであったと記憶する。父は三十代の前半であったから、今で言うならさしずめ最先端のＩＴ企業というところであろう。

中野の社長宅には独身社員が住み込んでおり、毎朝オートバイをつらねて出勤した。朝食も夕食も私たち家族と一緒だったのだから、涙ぐましいくらい律儀な青年たちである。彼らの自由時間は土曜日の午後と日曜祝日だけだった。

ところで、その「小僧さん」たちが一年経って「若い衆さん」に昇格する例は、実は稀《まれ》であった。たいていは坊主頭が伸びてポマードを塗り始めたころ、いなくなってしまうのである。遊び相手になってくれていた小僧さんがふいに姿を消して、悲しい気分になったことがしばしばあった。

この現象は近所の商店などでも同じだったらしく、八百屋やパン屋やクリーニング屋さんの小僧は、あらましお盆の籔入《やぶい》りまでにはいなくなった。

「このごろの小僧は辛抱が足らなくていけねえ」というのは、何度も耳にした祖父の弁である。私の祖父母はたいそう躾に厳しく、やれ鼻歌を唄っただの畳の縁《へり》を踏んだだの、納豆をかけすぎだの魚の食い方が贅沢《ぜいたく》だのと、はたが聞いていてもウンザリするような叱言《こごと》を言ったから、てめえがいびり出しておいて勝手なことを言うもんだと、子供心にも怒りを覚えたものであった。

小僧さんたちはおしきせのシステムに従って、とりあえず上京したのだろう。役場や学校が斡旋《あっせん》した職場にいったん腰を落ちつけて、自分の気に入った仕事を探していたのだと思う。世の中は高度成長の端緒についており、その気になれば民主的な職場はいくらでもあったはずである。

ともあれ春風とともにやってきた小僧さんたちは、私の知る限りポップコーンのようにはじけ飛び、みんなどこかへ行ってしまった。あれからどんな人生をたどったものか、六十代七十代になった彼らに聞いてみたい気もする。

時は流れ、今では中学どころか大学や専門学校までが義務教育のような世の中になった。ところが、ずいぶん様変わりしたように見えて、実はどこも変わっていないのではなかろうか。つまり大学卒が当たり前になってしまえば、中学卒が当たり前だった時代と同じである。そう思うと、まるで制服のような黒いスーツを着て会社訪問に飛び回る大卒予定者たちが、現代の小僧さんに見えてくる。

半世紀前の小僧さんたちも、身丈が伸びてつんつるてんになった一張羅の学生服を着て、日曜のたびに新しい職場を訪ね歩いていたのだろう。

決定的に異なる点といえば、昔の小僧さんは家に帰ることができなかった。のみならず、家に対していくばくかの仕送りをしなければならなかった。そうした自立心と義務感とを背負って職場を探さねばならなかった。正しくは、似て非なるものというべきであろうか。

しかし、べつに昔の小僧さんが偉くて、今の小僧さんが甘いというわけでもあるまい。小僧さんは今も昔も大変なのである。

大学が事実上の義務教育となった今では、格差社会の勝者敗者はあらかたスクールネームで決定されてしまう。かくして引く手あまたの志望校に進むことのできなかった多くの大学生は、かつての小僧さんとまったく同様の立場で、よりよい就職先を求めて都会の春を飛び回らねばならない。それはそれで苦労な話である。

どうやら私たちは、豊かさのもたらしたこの歪《ひず》みについて、考え直さねばならぬときにきているようである。豊かさのおかげで大学は就職のための装置に成り下がった。同時にその四年間は、働くための準備期間という、本来人間社会にはありえぬ無為で怠惰な時間となった。むろん無為も怠惰も快楽であるから、誰も理不尽とは思わない。人間も社会全体も幼稚になったのは、この空白の四年間が大いに関係しているはずである。いがぐり頭の小さな小僧さんたちは、現代の黒服の小僧さんたちよりずっと大人びていたと思う。

(『MAQUIA』二〇〇七年五月号)

雨の記憶

青臭い文学少年に見られるのがいやで、放蕩《ほうとう》のかぎりを尽くしていた高校生のころであったと思う。

ふたつめの学校の職員室に電話が入り、母の重篤を知った。手術中に緊急の輸血が必要になったので、すぐ病院にこいという報《しら》せである。母とは縁が薄く、子宮癌という大病を患っていたことさえ知らなかった。

私はどうしようもない子供で、そのときも骨折した左手を首から吊《つ》っており、片方の目には眼帯をかけていた。こんななりで瀕死《ひんし》の母に会うのは不孝だなと思ったが、まさか知らん顔もできまい。学校を出ると雨が降っていた。傘は持っていなかった。

薄っぺらな学生鞄《がくせいかばん》の中には、いつも教科書のかわりに小説が入っていた。何の本であったかは忘れたが、バスの中で活字の上を目が滑り続けていたのは妙に覚えている。読書についてはすこぶる集中力があったから、おのれの動揺を訝《いぶか》しく思った。

ずぶ濡れのまま病院に行って、医師の説明を聞いた。あまりかかわりあいになりたくないと思っていた私は、医師の声などうわの空で、中庭に立ち騒ぐ若葉の枝ばかりを見つめていた。陰湿な感じのする、古い病院だった。

どうしたわけか、輸血はしなかった。のちになって考えたのだが、面会にこようともしない不肖の倅《せがれ》を、母かあるいは母の意思を汲《く》んだ看護師かが、そんな方便を使って呼び寄せたのだろう。

眠り続ける母の手をしばらく握ってから、さっさと病院を出た。雨足はつのっていたが、ともかくその場から立ち去りたかった。私には母の不幸を斟酌《しんしやく》する良心がなかった。

胸前で腕を吊った学生服は半袖のシャツだったから、たぶん梅雨《つゆ》どきだったのだろう。だが早い嵐でもきていたものか、国道に出たときにはひどい土砂降りになっていた。

電話ボックスで雨やどりをした。ギプスが水を吸って、固まらぬ骨が疼《うず》き始めたからだった。あるいは誰かに電話をかけようとしたのかもしれぬが、そんなせつない気分を慰めてくれる人を、そのころの私は持っていなかったはずである。独り暮らしの下宿に帰りたくはなく、さりとて病院に戻って母の目覚めを待ちたくもなかった。

電話ボックスの中に追いつめられた私は、文庫本を読み始めた。題名は忘れたが、甘い恋物語であったような気がする。

ふいに雨のガラスの向こうに、セーラー服の女子高生が立った。電話をかけるのだなと思ってドアを開けると、その少女はおぼつかぬ微笑をうかべて、私に傘をさしかけてくれた。

通りすがりに、雨の電話ボックスで本を読む傷ついた少年を見かけたのであろう。地下鉄の駅かバス停まで送る、というようなことを、少女は何だか懇願するような口調で言った。

私はとっさに嘘《うそ》をついた。「人を待っているんだ」と。

仮に記憶が多少の美化をしているとしても、美しい少女であったと思う。そうでなければ、私が好意を拒むはずはなかった。けっして男の矜恃《きょうじ》などではなく、私は少女の美しさに驚きあわてて、そんな嘘をついたのだろう。

少女はよほど思い切って声をかけたものか、いかにも裏切られたというような顔をして去って行った。しかし私が見送るうちに、踵《きびす》を返して戻ってきた。そして今度は少し剣呑《けんのん》な物言いで、「うち、すぐそこだから」と言ったなり、電話ボックスの中に青い折り畳み傘を投げこんで走り去ってしまった。

私は少女のあとを追おうとはしなかった。そんな男気と良識があるほど大人ではなかった。ただ、雨の中をわきめもふらず走り去って行く少女の後ろ姿を見つめていた。

私はまた文庫本を開いて、活字の上に目を滑らせ始めた。やがて雨が小やみになり、私は少女の青い傘を電話ボックスに置き去ったまま下宿に帰った。

梅雨の季節になると、あの雨の日の一瞬の出会いを今も思い出す。青い傘をさした少女のおぼつかぬ笑顔が、まるでガラスごしにくちづけをかわした記憶のように思えて、胸がときめくのである。

あのときの二人の心の動きは、いくど考えても飽くことがない。

このごろふと、もしかしたらあの少女は物語の精霊だったのではなかろうかと思うことがある。あれからすてきな恋をして、妻となり母となっていると考えるよりも、よほどロマンチックな想像であろう。読みさしの恋物語の中から抜け出た少女が、私に傘をさしかけてくれたのではないか、と。

だとすると電話ボックスの中に置き去ってきた青い傘は、今さら悔やまれるのだが。

（『ＭＡＱＵＩＡ』二〇〇六年七月号）

十六歳のスコア

高校一年の秋に、ふらりとひとり旅に出た。

ぶらりと、ではなく、ふらりと、である。それくらい私は生気を欠いていた。列車も宿もすいていたから、連休だったのではあるまい。たぶん私は学校を休んで旅に出たのだと思う。子供が三日間ゆくえ知れずになったところで誰も気に留めぬくらい、私の家庭環境は劣悪だった。

ごく簡単にいうと、私には複数の父と複数の母がいたのだが、その誰もが親としての責任を果たしていなかった。私はみずからの意思でほとんど勝手に、かつ自力で私立の進学校に通っていた。自分が人の親になって、親の気持ちがわかるどころかいよいよ憎んだほどであるから、やはり傷《いた》ましい青春であったというほかはない。

学校ではブラスバンド部のキャプテンに祭り上げられていた。何ごとにも要領というものを知らぬ私は、なまじ譜面が読めて耳もよいばかりに、一年生で練習のタクトを振る羽目になった。

その年の夏休みに、私の個人的な事情を知る唯一の先輩が、信州の湖で溺《おぼ》れ死んだ。私にとってはかけがえのない、音楽と文学の師であった。以来私には、この世で恃む人がいなくなった。

おそらく私は、彼の死んだ湖に行こうとしたのだろう。しかし家を出たとたんに気が変わって、新宿駅から中央本線に乗ろうとはせず、上野に出て信越線の客となった。軽井沢で降り、駅頭に止まっていたバスに乗った。そのあたりの記憶は曖昧《あいまい》だが、親しんでいた文学の故地に降り立ったはよいものの、受け止めてくれるものの何もなく、遁《のが》れるようにバスに乗った、というところであろうか。そのころの私は、どこにも自分の居場所がないような疎外感に苛《さいな》まれていた。

バスは夕映えの浅間山《あさまやま》の裾《すそ》を巡って、小諸《こもろ》に着いた。食堂で夕食をとり、町なかの安宿に泊まった。宿の人が入れかわり立ちかわり、茶や果物を持って様子を窺《うかが》いにくるのを煩わしく感じたが、今にして思えばまあわからぬでもない。

夜の更けるまで読書をし、もう読んでくれる人のない小説の続きを書いた。

あくる日は懐古園をめぐり、小海線《こうみせん》に乗った。その列車の終点は中央本線の小淵沢《こぶちざわ》で、もしかしたら私は逡巡《しゅんじゅん》の果てに、先輩の死んだ北信州の湖へと向かうつもりになったのかもしれない。

しかし、途中の松原湖で降りてしまった。私のうちに残っていた生命力が引きずり降ろしたようでもあり、あるいは列車を乗り継いで遥かな場所まで行くだけの力が、すでに尽きていたとも思える。

錦繍《きんしゅう》の湖畔に人影は疎《まば》らだった。灯ともしごろまでボートに乗り、水辺の宿に泊まった。やはり夜更けまで読書をし、小説を書いた。

どう思い返そうとしても、その旅のさなかの自分の心の動きがわからない。いったい何を考えていたのか、確たる目的があったのかどうかも、まるでわからない。

旅行鞄の中には、手当たり次第に掻《か》きこんできたように、たくさんの書物が入っていた。私はそれらを、片ッ端から読むでもなく読み散らした。

書くことにも読むことにも屈した夜更けであったと思う。鞄の底から一綴《ひとつづ》りの指揮譜が出てきた。曲は「海兵隊マーチ」であった。

亡くなった先輩は、一通の手紙も一枚の原稿も私に遺してはくれなかった。形見の品といえば、彼が後輩たちのために編曲した、そのスコアだけであった。

「海兵隊マーチ」は名曲である。しかしこの曲は、学生ブラスバンドの練習曲として簡明に編曲されたスコアが、一般には流布していた。先輩は米軍の演奏するオリジナルの「海兵隊」のレコードをくり返し聴いて、書き取った本物の譜面を私に託してくれたのだった。

先輩の苦心の手になる指揮譜から、各パートの楽譜を分筆する仕事が私には残っていた。形見の品というより、キャプテンのなすべき仕事として、私は宿題を持ち歩いていたのであろう。その夜を徹して、私はパート別の譜面を書き上げた。

最後に私の楽器であるトロンボーンの楽譜を書いた。書きながら涙が出た。市販のスコアではまったく目立たぬそのパートが、トランペットにもまさる勇壮な旋律を奏で続けていた。

オリジナルの譜面はこれにちがいない。だが私には、先輩が私のためにそのアレンジメントをしてくれたように思えてならなかった。

あくる朝、眠れぬまま宿を出て、コスモスの咲き乱れる高原の道を駅まで歩いた。ずっと「海兵隊」の華やかなユニゾンを歌い続けていた。

おまえは文学の才能などからきしだが、音楽なら少しはいけるよ、と先輩は言った。

その一言が悔やしくてならず、きょうまで歩き続けてきたようなものである。

二十歳で逝ったただひとりの師は、生涯鳴りやむことのない行進曲のスコアを、十六歳の私に遺してくれたのだった。

（『小説すばる』二〇〇五年九月号）

十六歳の原稿

高校二年生のとき、出版社に初めて原稿を持ちこんだ。九十枚の小説だった。

むろん箸《はし》にも棒にもかからぬ代物であったけれど、返却された原稿にはていねいに赤が入れられていた。そのとき編集者の方が開口一番おっしゃった言葉は、

「川端康成のエピゴーネンだな」

である。

私は今でも編集者のみなさんに、自分の原稿の批評を執拗《しつよう》に要求する癖がある。つまりその言葉は、私の作家生活における記念碑的な、編集者の第一声であった。

さて、読者は首をかしげるにちがいない。私の小説は模倣《エピゴーネン》どころか、川端康成とは似ても似つかぬはずである。

ところが、現在も大切に保管しているその十六歳の原稿を読むと、なるほど文章も結構も筋立ても川端さんの影響ははなはだしく、苦笑を禁じ得ない。まるでトレーシング・ペーパーで書きなぞったような小説で、たぶん下敷は『みずうみ』であろうと思われる。

川端康成の小説は久しく読んでいないが、たとえば今、「みずうみ」という表題を書けばたちどころに、

「桃井銀平は夏の終り――というよりも、ここでは秋口の軽井沢に姿をあらわした」

という冒頭部分が頭にうかぶのだから、やはり相当に私淑《ししゆく》していたのであろう。ちなみに、こう書いてしまってから原文を改めてみると、「――」も「、」もまちがっていなかった。三つ子の魂百まで、である。

正確な記憶は書写のたまものである。気に入った文章にめぐりあうと原稿用紙に書き写すという習癖があって、怖いことには今もしばしばこれを行う。ただし、学ぶつもりなどさらさらなく、てめえが書いた文章と信じてひとり悦に入るのである。

『みずうみ』は必ずしも川端康成の代表作とされているわけではないが、作者の小説的特徴が如実に露出した作品であろう。つまり川端ファンにとっては垂涎《すいぜん》のひとしなで、好きな作品を問われてこれを挙げる人はまちがいなくマニアである。

かつて三島由紀夫は、中央公論社版「日本の文学」の解説において、すこぶるトリッキーな川端論を書いた。「色情」や「時間」といった抽象的事象の小説化《ロマネスク》が、川端文学の特徴であるという解析である。これはいかにも三島的な、つまり反論を許してもらえるのなら、「お説ごもっともだが、そこまで言っちゃったら身もフタもないでしょうに」と言いたくなるほど明晰《めいせき》な理論である。この三島的川端論の最も正確に適用される

作品が、『みずうみ』であると言ってよい。

それはさておき、十六歳の私が「川端康成のエピゴーネン」と図星をさされて、ひどくショックを受けたことは想像に難くない。なにしろいまだに、そのときの編集者の顔も声も、はっきりと憶《おぼ》えているのである。おそらく将来、「あなたは癌です」と医師に宣告されたら、たちどころにその日のことを想起するであろう。

芸術作品の条件がオリジナリティにあるということぐらいは、十六歳の私も知っていた。声帯模写の名人がどれほど上手に鶏の鳴き声を真似《まね》たところで、彼は鶏ではない人間なのである。芸人になるつもりはなく鶏になりたかった私は、「模倣《エピゴーネン》」の一言で世界が滅んだほどのショックを受けた。

その日をしおに私は、大好きな川端康成から離れた。やはり将来、医者から癌の宣告を受ければ、その日をしおに煙草《タバコ》はやめると思う。

しかし、川端康成に対する私の執着が誤りであったとは思わない。小説に限らず、創造はすぐれたものを模倣するところから始まり、模倣に徹したいくつもの穴の底に、ようやく鶴嘴《つるはし》の先が個性の宝石を嚙《か》むと信ずるからである。

真のオリジナリティとは実にそうしたもので、才能という鋭利な鶴嘴を握っているだけでは得られず、また豊饒《ほうじょう》の大地から指先でひょいと拾い上げるものでもあるまい。

編集者の一言は重かった。鋭利な鶴嘴も持たず、豊饒の大地も知らぬ私は、それ以来やみくもにたくさんの模倣の穴を掘り続けた。

祇園花見小路《ぎおんはなみこうじ》の古い店に、川端康成の大きな肖像が掲げてある。白髪豊かに澄んだ目を瞠《みひら》いた、あの有名な写真である。私は京都に上るたびその店を訪れて、敬愛してやまぬ川端さんとお茶漬を食べる。

まさしく文士の風貌である。年齢はすでにさほど違わぬはずだが、ガラス窓に映るわが顔と較ぶれば聖俗の懸隔ははなはだしく、よもや同業の人とは思えぬ。その証拠に、川端さんは永遠に店の看板だが、私はいまだ認知すらされていない。

編集者から貴重なご指摘をいただいた結果、顔まで似ても似つかぬオリジナルになったのだと、この際は思うことにする。

(『小説現代』二〇〇六年二月号、「十六歳の原稿　川端康成」改題)

幸福な時代

私は十六の齢《とし》に家出をして、それきり親の元には帰らなかった。高校一年にして自活を始めたのだから、今にして思えば勇敢な少年であった。

生家は都心の盛り場で喫茶店を営んでいた。フロアが三つに分かれている大きな店で、慢性的な人手不足であったから、私も手伝いに駆り出されていた。つまり家出をしても、同じような夜の仕事を続けていけば、学校に通いながら気儘《きまま》な独り暮らしができると踏んだのである。私の人生のレールはそのまま今日まで繫《つな》がっているので、十六歳の計算はまちがいではなかった。むしろそのときの覚悟と精密な計画と行動とが、以後の人生を保証した。

貧しいながらも幸福な青春であった。金銭も愛情も他者からは求めず、みずから生産し管理すること、すなわち自由である。幸福は自由の異名であると、私はこのとき知った。

四畳半のアパートでの独り暮らしは、余分なものが何もなかった。煎餅《せんべい》蒲団《ぶとん》と座机と本棚が家具のすべてで、外食をする余裕がないから、炊事道具もきちんと揃《そろ》えてあった。私は子供の時分から妙に手先が器用で、いわゆる家事全般が大好きだった。アルバイト代をこつこつ貯めて初めて買った電化製品はラジオでも炊飯器でもなく、アイロンである。これを買って帰ったときの興奮は今でもよく覚えている。ちなみに、二つめはヘア・ドライヤーであった。この順序はいかにも江戸前の見栄坊で、思い出すだになるほどという感じがする。

さて、私はやや早熟であったが、十代で自活をするたくましい少年少女は、今も少くはあるまい。ただしその実態は大ちがいであろう。テレビ、ミニ・コンポ、パソコン、冷蔵庫、洗濯機、電子レンジ、携帯電話——こうしたさまざまの利器が整っているはずである。これだけの家財を運びこむとなれば、まさかトイレも炊事場も共用の四畳半というわけにはいくまい。

あのころの私は、勤労学生であるにもかかわらずヒマを持て余していた。前述の利器が何ひとつないアパートは、まことにヒマなのである。かくして読書三昧《ざんまい》の日々となった。

もともと読書が好きなうえに、やることが他にないのだから仕方がない。図書館は無料の娯楽施設であり、古本屋の店頭には三冊百円の文庫本が溢《あふ》れていた。一日一冊の読書習慣はこのころに始まり、今日もなお続く私の道楽である。

ふしぎなもので、道楽は血肉になる。かくして私は、文章を書いて飯を食う大人になった。このようにわが身の結果から考えてみると、今の若者たち、いや今に生きるすべての人々は実は不幸なのではあるまいか。

パソコンや携帯電話を通じて、人生の要諦《ようてい》にはほとんど不要のコミュニケーションに忙殺され、テレビやラジオの番組に貴重な時間を費消し、冷蔵庫の中味を気にし、洗濯機や電子レンジのご機嫌を窺い、要するに未来のためになるようなことは何もできないのである。

幸福は自由の異名であるとする私の定義からすれば、いっけん自由のようでありながら利器に管理されている現代人の生活は不自由であり、幸福ではないということになる。社会人としての普遍的資格を失うまいとするあまり、人々は知らず知らずメールの奴隷になっている。

四十年近くも前の生活を正確に思い出すことはできない。記憶に残るものは、怠惰で茫洋《ぼうよう》とした四畳半の空気だけである。おそらく今の若者たちは、あの贅沢な閑暇を知らないであろう。彼らにはやらねばならないこと、正しくはやらねばならないと錯誤しているものが多すぎる。

自由であった私は、当然のなりゆきとしていくつもの恋愛をした。だが思い返してみると、性格は情熱的であるはずなのに、すこぶる恬淡《てんたん》たる恋愛であった。よく言えば潔く、悪く言うなら冷淡であった。おそらく私には自由人としての規約と矜恃とがあって、自分の生活をあやうくするような恋愛は避け続けていたのであろう。

そうした点でも、現代の若者たちは気の毒である。顔を合わせなくてもコミュニケーションをとる手段がたくさんあるので、あれやこれやとたがいが納得するまで、面倒な手続きに煩わされるにちがいない。恋のきっかけや経過や結末にまで機械が介在するとは、何と不自由な話であろうか。

私の今の生活も世間並の利器に囲まれてはいるが、できるだけあの幸福な時代の呼気を忘れぬよう心がけている。自由と不自由を、幸福と不幸をとりちがえぬように。

原稿の枡目《ますめ》を万年筆で埋めていると、若葉を騒がせて雨がやってきた。

（『MAQUIA』二〇〇五年八月号）

完全な美女

雨降りが嫌いではない。

雨と思えばうっとうしくもあるが、家や体や車のまわりに水を閉《た》てたと考えれば、安らかな気分になる。とりわけ読み書きをするには雨の日がよい。

私が子供の時分には、まだ町なかで番傘なるものを見かけたものであった。番傘と言っても今の若い人は知らぬだろうが、竹の軸に油紙を張った古来の傘のことである。子供の手には太くて重くて、甚《はなは》だ厄介な代物ではあったが、雨粒がパラパラと小気味よい音を立てた。しかし何しろ紙でできているから、乱暴に扱えばすぐに破ける。チャンバラの道具に使えばひとたまりもなかった。破れた傘を張り替える職人もいたのだが、ばんたび修理に出していたのではたまらぬので、「子供はコウモリを使いない」と祖母によく叱られたものである。

ずいぶん昔話をしているようでも、私はそれほどジジイではない。昭和三十年代の東京下町の話である。

コウモリ、というのはつまり一般的な洋傘のことだが、男物は黒と決まっていたのでなるほどコウモリであった。いわゆる化学繊維がほとんどなかった時代であるから分厚い木綿製で、そのボッテリとした風合がたしかにコウモリなのである。当時の実物を見なければ、「蝙蝠傘」の実感はわかるまい。

番傘に較べればよほど実用的ではあるが、コットン百パーセントであるから多少の防水加工は施してあっても、すぐに水を含んで重くなる。学校の帰り途《みち》など、家が近付くほどにどんどん重みを増して、そのうち雨が洩《も》り始める。軸を伝って流れてくる雨水が袖口から入り、肘《ひじ》へ腋《わき》へと伝ってくる気持ち悪さといったらなかった。ただし番傘とちがって破れはしないので、雨が上がればチャンバラの刀であった。

今日と同じナイロン素材の雨傘が普及し始めたのは、中学に入学したころであったろうか。私の中学一年といえば東京オリンピックの年、ともかくあの国家的行事をしおに、町の佇《たたず》まいから雨傘までが変わった。

ナイロン製の傘は雨洩りがしないばかりか、生地が薄いので細く巻くことができた。当時の中学生のステータスである。

時を同じくして、それまで雨降りの必需品であったゴム長靴も次第に姿を消していった。雨を通さぬナイロン傘のおかげもあろうが、道路がほとんど舗装されて、水溜りやぬかるみがなくなったせいであろう。かくして昭和四十年代初頭には、今と変わらぬ雨の日のスタイルができ上がった。

　ところが、ほどなく私は傘と無縁になった。べつに海外移住をしたわけではない。自衛官は傘を持ってはならぬのである。

　実に意外な話であった。今はどうか知らぬが、昭和四十六年の時点では古今東西、軍人は傘をさしてはならなかった。では雨の日の外出はどうするのかというと、これも古今東西の常識として、軍人は雨衣《あまい》を着るのである。

　理由はよくわからん。「見苦しい」とのみ教えられた。傘がみっともないなら世間の人はみんなみっともないことをしているのだから、わけのわからん理由であった。

　つまりその職務上、常時即応の身なりをしていなければならぬので、傘など持たずに雨衣を着るというのが軍人たるものの慣習であるらしい。そういえばお巡りさんが傘をさしている姿というのも、見かけたことがない。

　除隊したあと、まっさきに傘を買いに行った記憶がある。私服よりも何よりも、わが身が自由になった証拠が雨傘であった。

　やがて、使い捨てのビニール傘が登場した。発売当初から「使い捨て」という触れこみではあったが、当時の五百円という価格は使い捨てるにはもったいなかった。ことに私は根がセコいので、いまだかつて使い捨ての傘を使い捨てたためしがない。それどころか使い捨てられたらしい傘を見かければ、必ず拾って帰る。ためにガレージの中はビニール傘だらけである。

もったいないと思う気持ちのほかに理由はある。値段はさておくとして、あのビニール傘のデザインが好きでならない。けっして自己主張せず、持ち主の人格もファッションも脅《おびや》かすことなく、しかも機能的で、いかにも傘の領分をわきまえつつ完成した、という彼女なりの美学を感ずる。そしてここが最も肝心な点なのだが、その透明さはうっとうしい雨を、安らぎに変えてくれる。雨が降っているのではなく、閉てられた水の中に自分がいるという気になる。

子供の時分からビニール傘に親しんでいる世代の人にはなかなかわかるまい。しかし番傘からコウモリへ、ナイロン傘へ、そして雨が降っても傘のさせない兵隊さんを経験した私には、あの白い柄の透明な傘が、まこと非の打ちどころない完全な美女に見えるのである。

まさか彼女が言うままに、使い捨てるわけにはゆくまい。

（『MAQUIA』二〇〇八年八月号）

正体

読者にはまったく意外な話であろうが、私は作家になってからもしばらくブティックを経営していた。

婦人服業界には三十年近くもいて、その間にいいことも悪いこともさんざ経験したあげく、ようやく引退したのである。主としてデパートのプレタポルテ売場に納品していたのだが、小説を書く時間がないので小売業に専念することにした。その最後の砦《とりで》を、平成十五年の暮のバーゲンを閉店セールとして、手じまいにしたのである。

なにしろ三十年のキャリアであるから、いまだに小説家というより、アパレル業界人のような気がしてならない。たとえば、本誌（『MAQUIA』）が郵送されてくると、自分のエッセイなど目もくれずに、まずグラビアに目を通すのである。いや、目を通すというよりかなり真剣に流行のデザインや価格を分析したり、かつて知ったる商売仲間のメーカー名を探したりしている。長い間の習い性というやつである。

そうしてふと、自分の書いたエッセイに行き当たり、今さらながら転職した事実を知る。

街を歩いていても、視線は自然にブティックのショウ・ウィンドウに向けられている。気に入ったディスプレイの前で立ち止まったりすると、同行の編集者は「プレゼントですか?」などと怪しむのだが、べつだんそういうわけではない。デザインや生地や縫製に興味をそそられているだけなのである。

ことにクリスマス・ソングの流れるバーゲン・シーズンともなると、業界の動向が気になって仕方がない。この季節はどのメーカーもどのブティックも最大の勝負どころで、利益の大半はこの一瞬にかかっているといっても過言ではないからである。業界用語でいうマーク・ダウン——すなわちバーゲンの値引率によって、各メーカーの成功と失敗とがはっきりとわかる。

そうした華やかな業界も、もう他人事《ひとごと》なのだと気付けば何やら淋しい。

最後の店は十七年間も続いた。消長の激しい婦人服業界では、長寿を全うしたといえる。景気のよかった時分には、ブティックとはいってもデパートに納品するための商品センターのような状態で、いわばそのころの余力で店を保ったのである。

顧客にはデパートの仕切り値で販売をしていたから、トップ・シーズンでも三割引というふしぎなブティックだった。しかもカジュアルやボリウム・ゾーンの商品は一点もない、純粋のプレタポルテである。お買得といえばこれほどお買得な店は他になかったであろう。

顧客のきまったブティックは長続きしない。盛り場の路面店かターミナルのテナントでもない限り、すべての店は同じ運命をたどる。つまり、顧客と一緒に店の品揃えも齢をとっていくのである。

十七年前にオープンしたときには、キャリア・ゾーンとヤング・ミセスのための商品構成であった。当然のごとく十年たてば、キャリアはミセスとなり、ヤング・ミセスは立派なマダムになってしまう。一方のメーカーは同じ年齢層の商品を作り続けるので、ブティックはメーカーの変更をしなければならない。経営者が業界に精通していなければ、ブティックはまずここで終わってしまう。

というわけで、十七年目には私のブティックも、大貫禄のミセス・ショップとなっていた。紳士服も婦人服も同様なのだが、人間は年齢とともにトラディショナルなファッションに落ち着く。流行に左右されることも少なくなるので、自然に購買力も落ちる。長年ご愛顧をいただいたお客様にはまことに申しわけないが、店を閉めるには潮時であろうと思った。

アパレル業界人としての名誉のために言っておくと、小説がいくらか売れるようになったから引退したわけではない。何よりもまず、お客様をより美しく装うという私の感覚が、錆《さ》びてしまったと感じたからである。

閉店セール中はしばしば店に出て、スーツのお見立てをした。

むろん編集者には秘密だったのだが、どこで聞いたものか某社の女性編集者がやってきたらしい。らしい、というのは彼女らが来店したことを私は知らなかった。

「お店の前まで行ったんですけど、おじゃまかと思って帰りました」

と、編集者はのちになって語った。

おそらくフィッティング・ルームに蹲《うずくま》ってピンを打つ私の姿に、たとえば『夕鶴』のヒロインを見るような恐怖を感じたのであろう。

そしてとうとう私は、ショウ・ウィンドウごしにドレスを眺めるほかはなくなった。

物語の空に向かって翔《はばた》くにせよ、夕鶴のごとく愛惜の思いは残る。

（『ＭＡＱＵＩＡ』二〇〇五年三月号）

「先生」と呼ばれて

私が他人から「先生」と呼ばれるようになったのは、四十をいくつも過ぎてからである。

小説家という職業には公的な資格審査があるわけではなく、学歴も関係がないので、周囲の編集者たちがそう呼び始めることにはまことに重大な意味がある。つまり文壇という社会が小説家として認知した証拠が、「先生」という呼び方に現れるのである。

自分の書いた小説がようやく活字になったくらいでは、まだ「先生」にはほど遠い。文学新人賞を受け、二冊や三冊の著作を世に送り出してもまだまだ、その間に挫折する多くの同輩たちの累々たる屍《しかばね》の遥かな先に、「先生」の称号が待っている。

そうした苛酷な経緯を踏んで、初めて「先生」と呼ばれたときには、恥ずかしくて仕方がなかった。努力に憾《うら》みはないのだけれど、その結果としての「先生」の称号がはたしておのれにふさわしいかというとまったく自信がなく、そう呼ばれるたびに胸を鷲掴《わしづか》みにされるような気がした。

ふしぎなことに、よほど「先生」と呼ばれ続けた今でも、恥ずかしさに変わりはない。無窮の文学をきわめてしまったかのような傲慢《ごうまん》さを感ずるのである。

将来かくありたしと願い、かつ信じつつ努力をしてきた。その長い道程《みちのり》で思い知らされてきたことはただひとつ、自分が特別な人間ではない、という紛れもない事実であった。その自覚があったればこそ、努力ができたのであろうと思う。そしてその努力を永遠に続けねばならないからこそ、「先生」の称号は恥ずかしい。

文壇ばかりではなく、世間から特別扱いされ始めると、この気恥ずかしさはいよいよ募る。けっして特別ではない人間が、特別に扱われることに罪悪を感ずるのである。

いちどこんなことがあった。兄がクモ膜下出血で倒れたという話を担当編集者に洩らしたところ、近親者はハイリスクだということになって、たちまち大学病院に連れて行かれた。病院にはその出版社の社長かかりつけの教授が待ち受けていて、手際よく検査をして下さった。

ありがたいことではあるのだけれど、待合室に犇《ひしめ》くお年寄りや子供らをさしおいて、特権的に次々と検査をする自分が恥ずかしくてならなかった。

特別ではない人間が、たまさか小説家という職業を得て、世間から「先生」と呼ばれているだけで特別に扱われている。その不条理ばかりを、私はＭＲＩ検査の闇の中で考え続けた。

すぐれた芸術は才能によって成るのではない。すぐれた芸術を成した凡俗を、人が才能と呼ぶのである。そして芸術は、本来自分とどこも変わらぬすべての凡俗のためにのみ価値ある、普遍の娯楽の異名である。すなわち、「先生」の称号に甘んじて特権を供されることは、とても恥ずかしいと私は思った。

以来、体の変調を他人に訴えることはやめた。ひとりでこっそりと病院に行き、待合室で読書をしながら診察の順番を待つ。「先生」なのだから、私はそうする。

（『Attending Eye』二〇〇五年一巻三号）

真昼の隠者

私は典型的な早寝早起きの「昼型人間」である。

どの程度の典型かというと、夏ならば午前五時、真冬でも六時三十分、つまり日の出と同時に起床する。目が覚めてからベッドでグズグズはしない。聞くところによると、俗に「まどろみ」といわれるその曖昧模糊《あいまいもこ》とした時間はたいそう気持ちのよいものであるらしいが、私はよく知らない。覚醒のとたんに起床してしまうからである。

当然、家では一番の早起きであるから、まずキッチンに行ってコソコソとコーヒーを淹《い》れる。そして顔を洗い、歯を磨き、マグカップを持って書斎に入る。この間およそ十五分、つまり覚醒から十五分後に、私は早くも仕事を始めている。

朝一番の頭の回転はわれながらすばらしい。まるで天使のようにクレヴァーである。かくして三十分間の「朝食休み」を挟んで、原稿の執筆はたいてい午前中か、遅くとも午後二時までにはおえる。そのころになると、頭の中に俗世間の魔物が起き出してくるからである。

魔物は創造の敵であるが、ほかのことにはさほど影響しない。したがって執筆終了後の時間は読書に費やす。夕食までには四時間ないし五時間はあるので、子供の時分からの習慣である「一日一冊」は、今もなお続いている。ただし週末は競馬場に行き、平日にも多少の所用はあるので、現実には「週三冊」というところであろうか。

午後九時には寝る。しかしベッドには入らない。この時間帯は私の仕事仲間である編集者たちにとってはまだ真っ昼間なので、緊急を要する電話やファックスが入るからである。で、消防士のごとき臨戦態勢のままほぼ三時間ほど、ソファであんがいぐっすりと眠る。この際には、美しい夢を約束してくれるシンフォニーでリビングを満たす。音楽というものはふしぎなことに、眠っていても聴こえている。感覚が捉《とら》えるのではなく、心が自然に受け入れるすぐれた芸術なので、夢の中でもちゃんと最終楽章まで聴いているのである。かくして「一日一冊」の読書とともに、「一日一枚」のクラシックCDは私の創造のみなもとになる。

午前零時ごろにいったん目覚め、さながら夢遊病者のごとくベッドへと移動する。

以上が私の日常なのだが、ほとんど陽に当たらず外気も吸わず、まちがいなく運動不足のわりには、すこぶる健康である。病気や怪我《けが》とは無縁などころか、お肌の色ツヤもよろしく、精神状態も常に安定している。ということはつまり、心身の健康は何をさておき、「早寝早起き」の習慣が保証しているのではなかろうかと思われるのである。

医学的にいうと、そもそも昼行型のサルである人間の細胞は、深夜の時間帯に形成されるらしい。したがってその深夜に睡眠をとっていない人は、細胞の代謝ができずに老化の一途をたどるのである。言われてみればなるほど、おしなべて夜型の文芸編集者には、この細胞代謝不全を感じさせる人が多い。

彼ら彼女らが、なにゆえ昼夜逆転の生活を送っているのかというと、そもそもは作家の時間割に合わせているからである。この実情は、「ひとり真人間」の私にとってまことに都合がよい。なにしろ私が起きている時間には同業者も編集者もみな眠っており、私がぐっすりと寝ている時間にみなさんが働いている。つまり、仕事をするうえでの最大の障害である「付き合い」というものを、ほとんどしなくてよいのである。

ともかく私たちの社会は伝統的に、仕事とも遊びともつかぬ「付き合い」というグレーゾーンが、思いのほか多すぎる。

と、まあ早寝早起きの功徳《くどく》は、ほかにも列挙すればきりがない。ことに社会全体が夜型になっている今日では、この習慣を守っているだけで何となく独走感があり、むろん成果も大きい。

もともと私の早寝早起きは、生家の習慣であった。江戸前の祖父母が家を支配していたので、夜明けとともに叩き起こされたのである。さらにその生家が没落してからは早朝のアルバイトに精を出さねばならず、長じては陸上自衛隊という早寝早起きの職場に身を置いた。以来ずっとこの習慣が続いているだけで、べつに齢を食ったからこうなったわけではない。

損といえば、宴もたけなわのころにひとりだけ眠くなることであろうか。私は酒を飲まぬが、夜更けにはきっと楽しいことがたくさんあるにちがいない。にもかかわらず、私ひとりがいつもおねむになってしまう。

古い編集者に「真昼の隠者」というシャレた綽名《あだな》を付けられた。〝daytime hermit〟なかなかいい響きである。来年デビューする馬の名前にいただくとしよう。

（『ＭＡＱＵＩＡ』二〇〇五年十月号）

過ぎにし夏

この夏もまた、休みらしい休みをとらずに過ぎてしまった。

年頭には必ず、「今年の夏は休む」と誓いを立てるのだが、その待望の夏が近付くほどに手帳の空白はなぜか埋まってしまい、結局は常に変わらぬ整斉《せいせい》たる時間割の中で、わが夏は虚《むな》しく流れ去るのである。

多くの読者は、小説家という職業をいわゆる自由業の典型と考えているにちがいない。しかし正しくは、小説家が自由であるのは生活が不自由なところだけで、人並に飯が食えるようになったとたんから不自由業の典型となる。その生産性が一にかかって自分の肉体にのみあるのだから仕方がない。

ならば自由業にふさわしいころあいのあたりで仕事を制限していればよさそうなものだが、そんな冷静沈着な判断ができるほど、この業種は甘くないのである。つまり「文筆労働家」であるという自覚が生ずるくらいセッセと原稿を書き、説明しきれぬくらい多岐にわたる付帯業務をこれまたセッセと片付けていなければ、「小説家」であると自称し続けることは難しい。

むろん周囲の要請に一切耳を貸さず、夏休みは何事にも優先する権利だと主張すれば、通らぬ話ではあるまい。どこの職場でも事情はまったく同じであろうが、しかしこの「当然の権利」を主張するためには相応の、というより相当の覚悟が必要である。

若い時分からそうした覚悟を持てず、仕事ぶりも不得要領で、おまけに他人から物を頼まれるとイヤとは言えぬ損な性格の私が、まともな夏休みをとれぬことは何も今に始まったわけではない。

私が悪いのではなく、世間が悪いのだといつも思う。「世間」とは、社会構造という意味ではない。そもそも労働を美徳とし、休みを罪悪と決めつける潜在的な感情が、私たちの住まう世間をいまだに支配しているのである。誰もが同僚たちの顔色を窺いながらこっそりと休暇の計画を練り、まるで借金でもするみたいに、まさか借用証ではない休暇届を提出する。受理をした上司も、当然の権利であるから否定こそせぬものの、一言二言の嫌味ぐらいは言う。

世間の空気はどの職業でも同じなので、むしろ自由業である分だけ小説家の休暇はとりづらい。私の原稿を受け取らなければ休むことのできぬ編集者に対して、一方的な休暇宣言をすることは存外難しいのである。なお複雑なことに、私には大勢の担当編集者がおり、編集者もまた多くの作家を担当している。したがって休みをとるに際しては、精妙な感情が交錯する。

（自分の仕事だけ片付ければ、さっさと夏休みかよ。いいご身分だね）

などと、口にこそ出さぬがおたがい腹の中で呟《つぶや》く。作家は担当編集者に夏休みの予定を告げず、編集者もまた休暇予定は口にしない、というマナーを体得するまでには、どちらも相当のキャリアを必要とするのである。

こうした愚痴を外国駐在の長かった友人にこぼしたところ、一笑に付されるかと思いきやしごく同情してくれた。日本社会の悲劇はそれに尽きる、とまで言うのである。

フランスでは夏休みをとっていない社員の存在が判明すると、管理責任者は役所に呼び出されるらしい。どのような事情があろうと、その翌日から最低二週間は当人の出社が禁じられる。お上《かみ》が強制的に休暇をとらせるのである。

アメリカはさらに進歩していて、サマー・ホリディもなく働いている社員は、仕事《ワーカ》中毒《ホリック》者として白い目で見られるらしい。けっして仕事熱心でもなく、気の毒でもなく、異常者である。

ちなみに〝workaholic〟とは〝work《仕事》〟と〝alcoholic《アルコール依存症》〟を併せた造語である。

休みもとらずに働くことが美徳であり善行であると信じているのは、今や日本人だけだよ、と彼は言った。ところがふしぎなことに、欧米の赴任先では優雅な夏休みをとっていた彼が、本社勤務に戻ったとたんたちまち十数年ぶりに、休暇を返上せざるを得なくなったというのである。まったく「世間の空気」というものはおそろしい。

たぶん「日本人は勤勉である」という讃辞《さんじ》の裏には、まったく別の評価が隠されていて、それに気付かぬ私たちだけが鼻高々と勤勉を矜《ほこ》りにしているのではあるまいか。

世間の空気を覆すのはことほど左様に簡単ではないが、休むというより幸福を確認するだけの時間をきちんと持たなければ、人生は灰色である。

かく言いながらも、客観的には紛れなきワーカホリックにちがいない私は、相変わらず年間数冊の単行本を上梓《じょうし》し続けている。刊行冊数が多ければ、付帯業務もそれだけ増える。仕事はすればするほど片付くのではなく、実は増えるのだということに、このごろようやく気がついた。

秋風に驚いて顧《かえり》みれば、夏は知らぬ間に過ぎていた。こんなことでは日本語の物語を書く資格などあるまいと、うなだれるばかりである。（『ＭＡＱＵＩＡ』二〇〇六年十月号）

時の悪魔

この連載もめでたく二周年を迎えたらしい。

らしい、というのは、月日の流れが余りに速すぎて、何だか欺《だま》されているような気がするからである。担当者からその主旨の連絡を受けたとき、「何を寝呆《ねぼ》けてやがる、一周年のまちがいだろう」などとマジに考えてしまった。

そこで、念のためスクラップを改めてみると、実に信じ難いことだが本稿の連載が、たしかに二十四回分も綴《と》じられていたのである。

今回を加えれば二十五回。いかに算数が苦手の私でも、二周年がまちがいでないことぐらいはわかった。一回分は原稿用紙五枚である。「24×5」という計算はできないので、ただちに文科系頭脳を用いてこれを「24÷2」と置き換え、総量が百二十枚に達していることを知った。

まさか「チリも積もれば山」とは言わぬ。この際適切な比喩《ひゆ》は「光陰箭《や》の如し」であろう。ともかく光陰がさらに矢のごとくあと三年か四年過ぎれば、私が途中で読者に愛想をつかされぬ限り、連載をまとめた単行本が世に出るにちがいない。これは作家的計算である。

それにしても、なにゆえ歳月の感覚というものは、人生においてかくも不均等なのであろうか。たとえば最近の三年間が、中学校の三年や高校の三年と同じであるとは、どうしても思えぬ。たぶんこの世には見えざる時の悪魔がおり、クックッと笑いながら人間の脳髄にネジ巻きでも差しこんで、人生に加速度をつけているのであろう。

このごろでは、さっき寝入ったと思ったら朝である。今起きたと思えばたちまち日が昏《く》れる。日曜の翌日が土曜のような気がするので馬券の検討もすこぶる忙しく、締切原稿を書き上げたとたんに翌月の締切が迫っている。このままさらに加速度が増せば、おそらくこの年末には還暦を迎え、来年は孫のような編集者たちに囲まれて、「浅田次郎さんの喜寿を祝う夕べ」などを催してもらっているのではあるまいか。

と書きながら、たちまち車椅子《くるまいす》にちんまりと座ってとぼけた挨拶《あいさつ》をするおのれの姿をありありと想像してしまい、ものすごくイヤな気分になった。

えー、本日は……（十秒ボケ）……私の七十七歳をかくも盛大にお祝い下さり、まことにありがとうございます。またあわせて……（横文字失念二十秒ボケ）……マキアの創刊二十五周年、まことにおめでとうございます。おかげさまで私の連載エッセイ「男の視線」も……（ここで今さらタイトルに恥じ入り、三十秒ボケ）……三百回を超え、はてさていつ終わることやら……（予期せぬ大ウケにとまどい、以後の言葉をすべて失念。二十五年間つきっきりの老編集者に励まされる）……えー、かの蘇東坡《そとうば》は「光陰箭《や》の如し」と申しましたが、顧みますればけだし名言、私も蘇東坡は遥かに遠いが卒塔婆《そとば》はもうじき……（珠玉のギャグは若い編集者たちにてんで理解されず、スベる。この沈黙をどう収拾しようかとアセるうちに眠気に襲われ、ハッと気を取り直す）……えー、かの陶淵明《とうえんめい》は「盛年重ねて来たらず、一日《いちじつ》ふたたび晨《あした》なりがたし」と詠じておりますが、こちらもまた顧みますればけだし名言……（一同ウンザリ。会場の空気を察知して三十秒ボケたふり。老獪《ろうかい》）……とは申しますものの、陶淵明はあんがいマイペースで生きた人でありますから、おそらくこの詩の真意は「だから学問に励め」ということではなく、「若いうちに遊べるだけ遊んでおけ」という意味でありましょうな。諸君はまだ実感がないでしょうが、人生とはそれくらい加速度のつくものでありまして、仕事や勉強ばかりしていたのでは、老いたのち後悔するだけ……（あんがいウケたのでホッとし、そのとたん何をしゃべっていたのか失念）……あー、つまり一日に二度の朝がやってはこぬように、一生に二回の若い時代はありえぬから、精いっぱい悔いの残らぬように楽しみなさい、ということであります……（ここでふいに、七十七年の重みがドッとのしかかりすべてを失念。のみならず睡魔に抗しえず失神。老編集者に車椅子を押され、生涯最大のお義理拍手のうちにしずしずと退場）……。

あらぬ想像はともかくとして、陶淵明の詩の真意はたしかにその通りであろうと、このごろ思うようになった。「盛年重ねて来たらず、一日ふたたび晨なりがたし」の後は、「時に及んでまさに勉励すべし」と続くのだが、陶淵明の詩と人生を愛するひとりとしては、この「勉励すべし」に破綻《はたん》を感ずるのである。たとえば「自楽すべし」などと詠んだものを、後世の誰かしらが教育的見地から、「勉励すべし」と改竄《かいざん》したのではあるまいかと私は疑っている。あるいは、「勉励すべし」の原文そのものが、陶淵明の痛烈なジョークなのかもしれぬ。

時の悪魔に抗《あらが》う唯一の方法は、「自楽」のほかにあるまい。仕事も勉強も結構だが、快楽や幸福感を犠牲にしてしまえば、時間は矢のように過ぎてしまう。

今から一五七九年前に死んだ大詩人は、その雑詩の聯をこう結ぶ。「歳月は人を待たず」、と。

（『ＭＡＱＵＩＡ』二〇〇六年十一月号）

蛍　窓

大人になるまで、蛍を見たことがなかった。豊かな自然の中で生まれ育った方には信じられないだろうが、都会育ちの貧しさとはそういうものである。

ことに高度成長期の申し子である私たちの世代は、自然の風物と無縁だった。「便利さ」と「豊かさ」が同じ意味だと教えられ、かつ信じていた子供らにとって、蛍は物語の中にしかありえなかった。

その蛍との初めての出会いが、また何ともドラマチックである。

私は大学に進まずに自衛官となった。皮肉なことに、歩兵の仕事のほとんどは「野戦」なので、十九歳にしてようやく自然に親しんだのである。

演習場の天幕に蛍が舞いこんだ。よろめくような青白い光を目にしたときの感動は忘れ難い。蛍は幕舎の闇をしばらくさまよってから、私の戦闘服の胸にとまり、息づくように輝いた。

めくるめく高度成長の時代に、みずから志願して兵士になるのには、私なりの懊悩《おうのう》があった。のちに顧みて解析することはできても、青春の悩みは混沌《こんとん》として未整理で、自分では始末のつけようがなかった。だからこそ胸にとまった蛍に、あれほど感動したのだろう。

あのとき蛍に出会わなかったら、あるいは彼がたまたま私の軍服の胸にとまらなかったなら、小説家という未来はなかったような気さえする。


ところで、蛍は知らなかったのに「蛍光灯」なるものの下で成長したのは、考えてみれば妙な話である。

その新しい光が初めて家に灯《とも》った夜のことは、これもまたはっきりと覚えている。六つか七つのころであったろうか、近所の電器屋が蛍光灯なる新しい文明をわが家に設置した。

点灯したとたん、拍手喝采《はくしゆかつさい》である。蛍光灯はそれくらい明るく華やかだった。いかにもこの世の闇を払う一瞬だった。

それにしても、「蛍光灯」はなかなかのネーミングである。「明光」だの「冷光」だの「白光」だのとあれこれ考えた末の結論にちがいないが、「蛍光」とはよくぞ名付けたものだと思う。

あの時代に、本物の蛍の光は遥けき闇に消え、蛍光灯という文明の輝きにその名をとどめることとなった。

それでもなおしばらく、小学校、中学、高校と卒業するたびに、「蛍の光、窓の雪」と唄い続けていたのも、また妙な話である。

ちなみに名曲「蛍の光」は、スコットランドの民謡詩人が作り、のちには世界中で送別歌として唄われるようになった。日本語詞の作者は、一般には「文部省唱歌」の慣例に順《したが》って「不詳」とされているが、実は稲垣千穎《いながきちかい》という歌人であるらしい。

「蛍の光、窓の雪」は、苦労をして学問を積むことのたとえである。

晋《しん》の車胤《しゃいん》は家が貧しくて油を買うことができなかったので、夏には薄い布袋にたくさんの蛍を入れ、その光で勉強をした。

また、孫康《そんこう》という人は、冬になると窓辺に積もった雪あかりで書物を読んだ。

出典は前者が『晋書《しんじょ》』、後者が『蒙求《もうぎゅう》』でもともとべつの故事だが、のちにこの美談がワンセットとなって「蛍雪」のたとえとなり、「蛍の光、窓の雪」という歌詞に引用されたのである。

名曲にふさわしい歌詞をつけたこの作者は、それこそ蛍雪の功をなした人だったのであろう。

日本の近代教育における伝統的な卒業式の手順によると、まず卒業生がこぞって「仰げば尊し」を唄って学恩を謝したのち、全校生徒の「蛍の光」の合唱で送り出される。少くとも私たちの世代までは、日本中のどの学校でもこの儀式をゆるがせにしなかった。

実に美しい。国歌も国旗も、それぞれ思うところがあるのなら必ずしも儀式の要件ではあるまいが、そうした議論の中では「仰げば尊し」や「蛍の光」など、まずひとたまりもなかろうと思えば、まことに残念である。

蛍雪の功をなした明治の先人が、後世の子供らに遺したかくも美しい歌を、遺物として葬り去るほど人間は進歩していない。


先日、長年の懸案であった書斎の改装をした。これでようやく書物は書棚に収まり、まともな姿勢で読み書きができるようになった。よくも今まで、壁面にちゃぶ台、実効面積一畳大の書斎で辛抱してきたものだと、感慨しきりである。

ずいぶん不自由もしたが、蛍窓雪案の人生は私の矜りであるから、新たに設けた文《ふ》机《づくえ》の前には大きな窓をとった。

日が昏れると障子を開け、来もせぬ蛍を待つ。青春の胸にとまった蛍が、時を超えてよろめき現れ、書物を照らしてくれそうな気がするからである。


（『MAQUIA』二〇〇七年九月号）

一途《いちず》

ほんの子供のころ、小説家になろうと思った。

なりたいではなく、なろうと思ったのはたしかだから、正しくは「なろうと思った」ではなく「なろうと誓った」のである。

以来、ほかの人生を仮想したためしはない。やることなすことのすべてが、小説家になるための手段であったような気がする。

思い返せばまこと痛ましいほどの、一途な少年であり、青年であった。そもそうまで一途になるほどの才能もなく、環境にも恵まれていなかったから、悲願を達成するまでには当然のごとく時間を要した。

恋人と会っても、「もうすぐ読み終わるから」と言って読書を続けていた。あげくの果てには甘やかな言葉のかわりに、綿々と勝手な感想を語った。そんな男に恋心を抱き続ける女はそうそういないのだが、愛想をつかされた理由がわからない私は、あれこれとありもせぬ邪推をしたものだった。一途であることの代償は重かった。

四十の声を聞いてようやく小説家を自称するようになったのは、べつだん積年の努力が実ったわけでもなし、ましてや眠れる才能がついに花開いたわけでもなし、たぶん神様がその一途さを不憫《ふびん》に思って、何とかしてやろう、というつもりになったからであろう。努力だの才能だのというきれいな単語は、どうもわが人生の実感に欠けるのである。ただし、一途というきれいな言葉だけはぴたりと嵌《はま》る。良《あ》きも悪しきも、さまざまの経験をしてきたはずなのだが、さきの恋人とのエピソードにある通り、読むことと書くこと以外の実体験はすべて、思い出すだに他人事のような気がするのだから。

自分自身のそうした人生に思いを致せば、より豊かにより公平になった今の社会に生きる青年たちは、むしろ不幸なのではあるまいか。つまり自分の未来を托《たく》すべき選択肢が余りに多すぎて、一途になれぬのではなかろうかと思う。

未来ばかりではあるまい。やることできることが多すぎて、「今やらねばならぬことと」が選別しづらいはずである。たとえば、いわゆるフリーターと称する職業の存在などは、景気だの社会の構造だのを論ずる以前に、そうした生活の手段が可能になったからで、彼ら彼女らをまるで犠牲者か落ちこぼれのように言うのは誤りであろう、それだけけっこうな世の中になったのはたしかなのである。

ただし、選択肢が多すぎて一途な人生をなかなか発見できぬというのは、やはり不幸というほかはない。才能を発揮するべき職業を選んでいるうちに、才能を発揮するべき時間が失われてしまう。磨きもせぬのに輝く才能などはありえないから、大切な時間を空費してしまえば、はなからないに等しい。一方、才能の有無にはさほど関係なく、一途な情熱は石ころを宝石に変える場合もある。

つまり、職業の選択から恋愛に至るまで、この世のありとあらゆる事象はすべて、あれもこれもと選別するほど人間は本来、高等な生き物ではない。今日の平和で豊かな社会は、一方的に機会ばかりを提供しているので、人はみな能力を過信し、才能を見誤り、一途でありさえすれば実現する未来をみずから放棄してしまう結果を招く。

デビューが遅れたせいで、私には不本意ながら苦労人のイメージがつきまとっているらしい。プロフィールにはしばしば、「さまざまな職業を経て」などと紹介される。べつにさまざまな職業を経たから小説家になることができたわけではなく、何もすき好んで転職をしていたわけでもなく、第一さほどさまざまな職業を経てはいない。すべてはイメージが先行した結果、なぜかそう言われるようになった。

正しくは、長いこと小説が売れなかっただけなのである。もし前途有望な文学少年が私のプロフィールを真に受けて、「さまざまの職業を経なければ」などと考えたら大変なので、折に触れてこの誤解を否定するよう心がけている。

——あれもこれもやろうとしてはいけない。できると思っても、やってはならない。神様はマルチタレントなどという便利な人間を、この世にひとりも造ってはいない。仮にあれもこれもやったところで、結果的にはひとつのことだけをやり続けた人間には、まったくかなわない。勝ち負けどころではなく、まったくかなわない。他人の才能をけっして羨《うらや》むな。多才な人間ほど一芸を物にすることができないから、それはむしろハンディキャップだ。わきめもふらず、一途に。誰に何を言われようと、愛想をつかされようと、君の人生なのだから、ひたすらひとつのことを、一途に。いつまでもどこまでも、君に才能を与えて下さらなかった神様が、不憫に思って何とかしてくれるまで。

（『ＭＡＱＵＩＡ』二〇〇七年十一月号）

花の笑み、鉄の心

しばしば座右の銘を訊《たず》ねられて困惑する。

どうやら世の人々は、小説家が哲人だと勘違いしているらしい。むろん例外はあろうけれど、小説家たる最大の資格はまず嘘つきであることで、これは「最大の才能」と言いかえてもよい。つまり真理の探究とはまったく無縁なのである。さらには、過去の作品の中でデッチ上げたさまざまの人間が、まるで満員電車のようにおのれのうちに詰めこまれており、その集成が作者の人格となっているのだから始末におえない。

少くともそういう私に、座右の銘などあるはずはないのである。

しかし、嘘を生業《なりわい》とするのだから、哲人ぶるのも芸のうちで、色紙などを差し出されるといかにもそれらしい言葉を書く。実はあらかたがその場の思いつきであるから、私の「座右の銘」は何百もある。

花笑鉄心――花のほほえみ、鉄のこころ、と読もう。

嘘っぱちの座右の銘をふるいにかけ、かくあるべしとみずから心がけてきたという意味で、唯一誠実な言葉はこれであろうか。

難しいことである。虫の居所や幸不幸にかかわらず、いつも笑っていることがまず難しい。たとえそれができたところで、他人の顔色ばかり窺うような生き方をしていれば、信念などなくなってしまう。

では反対から考えてみよう。頑《かたく》なな信念を抱き続けていると、まわりは敵だらけになる。敵味方の誰かれかまわず愛想をふりまくことなど、できるわけがない。

実に難しい。つまるところ微笑と信念――花と鉄は相性が悪すぎる。

この言葉は私のオリジナルで、出典があるわけではない。たぶん小説家の未来を夢見ながら、日々の暮らしに追われていたころ考えついた、気合とか掛け声とかの類《たぐい》であったかと思う。「カショー、テッシン！」と声に出せば、なるほど力も出そうな気がする。

文学が立派な教養とみなされるのは、社会の中のごく一部の、知識階級においてのみである。わかりやすく言うなら、自衛隊の兵舎の中で文学など語ろうものなら、まず周囲から白眼視され、へたをすれば袋叩きの目にあった。軍隊以上にマニッシュな婦人服業界でも、それは同様であった。ほかにも、私が小説家としてデビューするまでに体験したすべての職業は、どれも同じようなものである。つまり世の中のほとんどの部分では、小説を芸術だの文学だのという基準で語ってはならず、いわんや「小説家になりたい」などと口にするくらいなら、「プロゴルファーになりたい」とでも言ったほうがよほどマシであった。

もっとも、私の夢は信念などというたいそうなものではなかった。読み書きをする能力のほかは何の取柄もないと知っていただけである。そういう小説バカが、小説家になれるまで何とか食いつないでいくためには、誰かれかまわず愛想をふりまき、ヘラヘラと笑いながら、一方では「必ず小説家になる」という暗くて重い意志を抱き続けねばならなかった。

花笑鉄心という言葉は、そうした時代の個人的なスローガンであった。

しかし、めでたく小説家になることができたから、この言葉が大戦終結後のハーケンクロイツや、自由化後のスターリン像のように引き降ろされるかというと、あんがいそうはならなかった。「花笑鉄心」は人生の毀誉褒貶《きよほうへん》とはほとんどかかわりなく、常に有効だからである。

なかなか夢が実現できずに、とうとう笑顔が地顔になってしまった。しかしどのような経緯があれ、幸せを求めるうえにも苦悩から免れるためにも、笑顔は不可欠な要件である。楽しければ笑い、苦しければもっと笑い、どちらでもなければ自然に笑っていればいい。日がな花のように笑い続けて、しかも大地に鉄のごとき根が生えていれば、なおさらいい。

小泉八雲の随筆に「日本人の微笑」という名品がある。それによると、明治以前の日本人は外国人が奇異に感ずるくらい、みな微笑していたらしい。八雲はそのふしぎなほほえみについて、こう解析する。

「日本人ほど、幸福に生活していくこつをこれほど深くわきまえている国民は、他の文明国には見られないのである。人生のよろこびは、周囲の人たちの幸福にかかっているのであるから、つまるところ、無私と忍従をわれわれのうちにつちかうところにあるという真理を、日本人ほどひろく理解している民族はあるまい」

考えるまでもなく、今日の日本人には当てはまるまい。しかし年齢よりもずっと古くさい日本人である私は、まさか無私や忍従をつちかった覚えはないけれど、ヘラヘラと笑い続けるうちに幸福になった。座右の銘とまでは言えぬかもしれぬが、「花笑鉄心」の福音《ふくいん》である。寝顔まで笑っている私が真顔に戻るのは、こうして原稿を書いているときだけであろう。

自分のために笑え。人のために笑え。そしていつも背筋を伸ばし、鉄の心を忘れるな。

参考文献　「日本人の微笑」The Japanese Smile　上田和夫訳（新潮文庫『小泉八雲集』）

（『ＭＡＱＵＩＡ』二〇〇八年十月号）

文庫版あとがき

私の生家には、東京の旧《ふる》いならわしが残っていた。

たとえば朝晩の食事の折など、二間続きの座敷の上座に父と祖父と兄が座り、そこから両側に住み込みの店員さんたちが居流れて、次男坊の私は末席であった。いわゆる「冷や飯食い」である。

祖母と母は使用人たちと一緒に、台所の板敷で食事を摂《と》っていた。つまり男女の隔たりも、長男と次男の格のちがいも、かつてはそうしたものだったのである。

家長たる父の権威は絶大で、今さら信じがたい話ではあるが、帰宅するもせざるも本人の勝手、毎晩どこで何をしていたのかはともかく、たまに帰ってくると家じゅうが言葉少なになるくらい緊張したものであった。

しかし、そうしたならわしは長く続かなかった。やがて家産が破れ、一家離散の憂き目を見たのである。以来、家族は二度と集合することなく、それぞれが自由気ままに生きた。

おのれの位置があらかじめ定まっている封建社会は、考えようによってはらくちんなのだが、いったん壊れてしまうと取り返しがつかない。その瞬間から親子兄弟が他人になってしまったようなものであった。私的印象としては、「一家離散」というほどの悲劇性はなくて、「解散」とでも言ったほうが的を射ている。

そうした事態も、やはり考えようによってはらくちんであった。誰を頼るでもなく、誰に期待されるでもなく、自分の食い扶持と未来だけを考えていればよかった。

このようにザッと人生を語れば、本書を読了なさった方々は、なるほどと肯《うなず》かれることであろう。根が教条的で原理的な割には、妙に自由奔放でまこと捉えどころがない。表題の「ま、いっか。」は、実にふさわしいネーミングである。

ところで、このエッセイ集の単行本は、二〇〇九年の二月末に上梓された。すなわち文庫化の間に、いまわしき東日本大震災と原発事故が起こった。

ただでさえ筆禍舌禍をしばしばもたらすおのれであるから、慎重に読み返さねばなるまいと肚《はら》をくくって臨んだのだが、校正刷りに向き合ったとたん、そういう根性はさもしいと考え直した。ひとたび書き上げた原稿を改めたり消したりすることは、読者に対する背信であろうと思ったのである。よって文庫化に伴う校正は、従前通りに文章や史実の精査にとどめた。

従前通り。震災から一年余を経た今日、何もかもかつての平安を取り戻してはいないが、従前通りに物を考え、かつ表現することは大切であろうと思う。感情に流されず、怖れずとまどわず、これまで通りにそれぞれの職分を尽くすことこそが、今の私たちの正しい心構えではあるまいか。たとえば、私は小説家なのだから黙って小説を書き続けなければならない。幸いにして、家も田畑も命も奪われなかったのである。

聖徳太子は「十七条憲法」の第一条に、「和を以て貴しとなす。忤《さから》うなきを宗《むね》となす」と記した。あまねく日本国民に対する、初めての布告といえよう。「平和と親しみが一番。戦ったり争ったりしないよう心がけなさい」という意味である。太子は『礼記』にあるこの言を引いて、日本の国是とした。

それから千四百年もの間、さまざまの「違憲行為」はあったけれど、同じ長い歴史を持つ諸外国に較べれば日本は平和であった。「以和為貴」は私たちの道徳であり、基本精神であり続けた。

震災の混乱の中で、誰言うともなくまるで天の啓示のように現れた「絆《きずな》」という言葉は、この「以和為貴」と同義であろう。ありがたいことに、聖徳太子が日本人に初めて授けた法は、その言葉を忘れてはいても精神の中に生きていたのである。

私たちは、こうした日本人であることを矜《ほこ》りに思わねばならない。むろん、この精神のある限り、困難の必ず克服されることは歴史に見る通りである。

和を以て貴しとなす。忤うなきを宗となす。

しかし、この言を実行することはなかなか難しい。四角四面に生きようとすれば和を乱し、誠実さは時に諍《いさか》いを招く。そこで必要なものは、「謙譲」と「寛容」の精神なのだが、それらは早い話が「ある程度のいいかげんさ」とも言える。

「以和為貴《ま、ぃっか。》」

聖徳太子の尊い訓《おし》えに勝手なルビを振って、エッセイの表題とした。争わず諍わずに生きてきた六十年を顧《かえり》みれば、正しい解釈だと思うゆえである。

平成二十四年三月二十五日

浅田次郎

S 集英社文庫

ま、いっか。

2012年5月25日　第1刷　　定価はカバーに表示してあります。
2023年12月17日　第11刷

著　者　浅田次郎《あさだじろう》

発行者　樋口尚也

発行所　株式会社　集英社
東京都千代田区一ツ橋2-5-10　〒101-8050
電話　【編集部】03-3230-6095
【読者係】03-3230-6080
【販売部】03-3230-6393（書店専用）

印　刷　TOPPAN株式会社

製　本　加藤製本株式会社

フォーマットデザイン　アリヤマデザインストア　　マークデザイン　居山浩二

ISBN978-4-08-746832-8 C0195